不自由な社会で自由に生きる

「自由論」講義録

ウスビ・サコ 編

光文社新書

はじめに

ウスビ・サコ

本書は、京都精華大学の１年生、２年生を中心とした全学部共通の授業「自由論」をまとめたものです。私のほか、本学のさまざまな先生や、ゲストの先生にも授業を行ってもらっています。なぜ自由論をやるかというと、京都精華大は50年以上前、１９６８年に「人間尊重」「自由自治」を掲げて開学した大学だからです。多様な価値観を認め合い、国や地域、民族、人種、性別、性的指向、信仰などの違いを超えて学び合う人々の場所として始まりました。西アフリカ出身の私が本学の教員になったのも、その理念に共感したからです。だから、本学に入学した人全員に受けてもらいたい授業なのです。

そして、この本をきっかけにして、本学の学生だけでなく多くの人が、自由とは何かを考えてほしいと思っています。なぜなら、今の日本も世界も、不自由であふれているからです。

日本人の多くは、自分たちは自由だと思うかもしれません。でも、その自由も、先人たちがさまざまな問題や枠組みを乗り越えて、勝ち取ってきたものなのです。自由は誰かが持っていて人に配るものではなく、自分で獲得していくもの、手に入れるものです。

自由とは何か。その理解を多くの人に深めてほしいし、これから自分自身で獲得していこうとする自由とは何かを考えてほしい。そう思っています。

不自由な社会で自由に生きる——目次

取材／構成協力　小山美香

目次／章扉／図版作成　有限会社マーリンクレイン

※各章末の注釈は編集部が作成したものです。

「私」と自由

第1章

◈ ウスビ・サコ

京都精華大学教授。1966年マリ共和国・首都バマコ生まれ。北京語言大学、南京の東南大学等を経て、京都大学大学院工学研究科博士課程修了。博士（工学）。2018年4月〜'22年3月京都精華大学学長。アフリカ系として初めて、日本の大学の学長になった。社会と建築空間の関係性について様々な角度から調査研究。著書に『サコ学長、日本を語る』（朝日新聞出版）、『君たちのための自由論』（内田樹との共著、中公新書ラクレ）など。

私は建築学が専門です。建築空間と社会の関係性を長年研究してきました。その私がなんで自由論をやるのか、不思議に思う人もいると思います。

なぜ私が自由論をやりたいのか、なぜ私に自由論が必要なのかと振り返ったときに、私自身が不自由だったんじゃないか、と気づいたのです。それは構造的な不自由さです。振り返ると、私の人生は、不自由な社会のなかでどう自由を得るかという闘いの連続でした。

人間社会は、人を不自由にするものをつくって、成り立たせています。社会の規律や法律、経済の仕組み、教育の仕組み、ありとあらゆるもので、社会は不自由さにあふれています。「大人になれば自由になれるんだ」とか「勉強すれば自由になれるんだ」とか「金持ちになれば自由になれるんだ」とか、多くの人が自分のなかで自由になるための闘いを設定していると思います。ただ、それが自由になるためなんだと意識するかしないかで、全然違ってくるんですね。

「自由の国」はどこにある?

私は小さい頃、たくさんの人に囲まれて育ちました。私の出身国のマリ共和国では、一つの家に家族だけでなく、親戚や、親戚の友達、知り合いなど、「こいつ、誰やねん、どういう関係なんや」と思う人がたくさん居《い》候《そうろう》していることが、普通にあるんです。我が家でも、知り合いの知り合いがある日突然訪ねてきて、気がつくと一緒に生活しているんです。30人くらいが同じかまどの飯を食べていました。

子どもは親ばかりでなく、居候の人からも叱《しか》られます。そんななかで、早くお手伝いの家事を終わらせればサッカーができるとか、早く宿題が終われば川で遊べるとか、小さな自由を得るために、自分なりにがんばってきました。特に勉強が好きというわけではなかったんですけど、宿題を間違えるとやり直さないといけないので、それが面倒臭くて中高のときは速く正確に問題を解いていました。勉強が手段になって、それで自由を獲得していたんです。

それが、国費留学生となって外国の大学に留学してから、自由を求めるステージががらりと変わりました。

あたりまえですけど、マリでは周りがみんな黒人系、アラブ系などだから、自分が黒人であることを意識したことがありません。もちろん、黒人ということは知っていますが、それが何を意味するか、黒人が世界のなかでどういう位置づけにあるのか、意識していなかったということです。自分の国のなかにいる限り、深く考えることはなかったのです。

国費留学生として中国へ行くために経由し、短期滞在した国はフランスでした。しかし初めてフランスに行ってショックを受けました。同胞のマリ人がフランスでどんなふうに活躍しているのかと期待して行ったのに、フランスでは道の掃除をしているのが黒人で、その周りで犬の散歩をしてフンを散らかしているのが白人でした。国費留学生として一定のプライドを持って行ったのに、プライドはズタズタになりました。

次に、国からの指示で中国に留学に行くことになりました。中国でも差別されたり、バカにされたりすることもしょっちゅうあって、あたりまえがあたりまえじゃない、自分の価値観が通じない境遇に陥りました。フランスでも中国でも、ものすごい不自由でした。そこからどう自由をつかみとったらいいのか、いろいろともがきました。

自由になるために必要なことは何か。私にとってそれは、知識やスキルを身につけることでした。他者から植えつけられた役割や偏見を打ち破っていくことが必要で、知識とスキルを増やせば増やすほど、権威を身につける自由を得ることができると思いました。そこには、新しい尊厳が与えられる自由がありました。

公用語のフランス語に加えて英語や中国語を学んで、自分の意見をちゃんと言えれば、バカにされっぱなしじゃなくて、言い返すことができました。マリで学んでいた実存主義やサルトル、ソクラテスなどの知識を使って、相手にちゃんとものを言うことができました。知識とスキルを身につけることによって選択肢が広がったんです。誰と付き合うか、どんな遊びをするか、自分で選択できるようになりました。もう周囲に流されたくない、と思いました。

ネルソン・マンデラがなぜ服役しているのか、パレスチナがなぜ地図から消えたのかについて、留学生同士で毎週のようにディスカッションやディベートをしました。しかし、共産主義や社会主義の批判などの言論が中国では自由にできません。多くの学生が天安門事件を目の当たりにしたのに、事件後、中国の学生は誰もそれについて話さなくなったのです。そこから見ると、当時の日本はものすごく自由に見えました。

それで、日本にやってきたのです。ただ、自由の国だと思ってやってきたのに、実際に日本で暮らしてみると、日本人は共通して不自由さのなかで生きていました。多くの若者はみんな早い段階から「生きてるだけでいいや」「社会全体を自由にするのは無理」とあきらめちゃっているんです。知識を持っていても不自由、金持ちでも不自由、大人も不自由、子どもも不自由、男も不自由、女も不自由、個性すら自分を不自由にしているのが、日本でした。

もちろん、日本でも私は不自由でした。京都大学大学院生のときも、嫌な気分になることが多くありました。「この国には（マリと違って）何でもあるから来たんだろう」と出稼ぎ労働者のような扱いを受けたり、同じ研究の仲間から自分の書いた論文を私に投げつけられ、「こんな内容お前には想像もできへんやろ」とバカにされたこともありました。

　それで日本語を勉強して、言論の自由、ディベートする自由を得てきました。研究を続けて、人から尊敬される人間の価値をつけるしかないと奮闘してきました。

　そうやって研究者になったけれど、今度は研究成果を出せば出すほど、不自由になっていきました。ゼミで教えている学生は私の仲間だと思って、焼肉を食べに韓国まで連れていったら、学生は他の授業もあると大学側に叱られました。シラバスやカリキュラムは守らなくてはいけないと言われ、自由に教えることもできません。制度のぶつかり合いがありました。

　今度は、自由の模範ならアメリカだろうと思って、在外研究で客員研究員としてハーバード大学に行きました。でも、実はハーバードが一番不自由でした。学内の教授や学生たち自身がお互いに「ハーバードらしさ」を求め合って、不自由になっているんです。外部の人たちは誰も求めていないのに。そして日本に戻ってきました。学生たちとゆっくり議論したいと思って、戻ってきたのです。

　結婚するときも日本人の妻の両親は最初は不安で、反対しました。けれど、真面目に勉強し、周りの人と信頼関係を築いていくうちに、大学でも家庭でも少しずつ認められて、自由を獲得していきました。そして、大学の学長選挙で学長に選出されるまでになりました。

それでも、今も日本の社会の不自由さに戸惑うことが多くあるんです。

例えば、私が学長になったときも、あるメディアに出演したとき「黒人大学長」とテロップに書かれたことがあります。「なんで黒人ってつけるん。ただの学長でええやん」と私は思うんです。一人の人間として見る前に、黒人とか、アフリカ人とか、何かしらフレームをつけようとするんです。これはものすごく不自由です。

社会が近代化を受け入れた時点で、社会を機能的に、合理的に動かしていくために何もかもカテゴリー化して、クラシファイ（分類）する必要が生まれたわけです。社会はそうやってフレームをつくってきました。それを自分のなかで意識しているかいないかで、人生は変わってきます。自分に満足している人はその意味が分かればいいし、満足していない人はこのことの意味を理解して、乗り越えていかなきゃいけない。

日本は完全に自由だと思い込んでる人が多いかもしれないけど、この社会が完全に自由だと思っちゃいけない。実はよく見ると不自由があふれていて、さまざまな問題を引き起こしているのです。もちろん、自由を考えて結論が出るわけじゃありません。でも、自由を考えてこそ自分が自由を獲得できる、と思うのです。

社会は複雑に構築されているから、誰にとっても自由な社会なんてものはありえません。例えば、○○解放運動とか、ある共同体の自由を求めると、それが誰かを不自由にしたり、不幸にしたりする可能性があるわけです。

じゃあ、どういうふうに自由を求めるか。それを考えるのが、この自由論です。不自由な社会をいかに生きるか、そういう自由論なのです。

集団的自由と個人的自由

昨年（２０２２年）の秋、アメリカのテネシー州立大学に行ってきました。テネシー州は白人が多い州ですが、そういう地域の州立大学で、50年間にわたってアフリカーナ・スタディーズが研究されていて、それが今回、学科に昇格するという大きなステップにあたって、私が基調講演に呼ばれたわけです。

私が講演している間、後ろにキング牧師のポスターが貼られていたのですが、キング牧師の名言「I Have A Dream」にちなんで、「We Still Have A Dream!」（まだ我々には夢がある！）と書かれていました。アメリカのアフリカ系アメリカ人のなかには、自分たちはアフロ・アメリカンなのか、アフリカン・アメリカンなのか、誰がいったいアフリカ人なのか、という議論もありますが、いずれにしろ、これまでのアフリカン・スタディーズは、ヨーロッパや白人の側から見て研究されたものが多かったんです。これは日本も同じで、かつては欧米から見た日本、欧米の人が研究した日本というのが世界のなかで主流でした。日本人が見た日本というのが国際的に出てる例は少なかったんです。それと同じことがアフリカン・スタディーズにもいえます。

そして、自由についても同様のことがいえます。誰が自由で誰が自由じゃないか、というのは、長いこと自分で決められることではなかったんですね。例えばアメリカでは奴隷制度の名残りで、わざわざ白人が「○○さんは自由の身分です」といった内容を紙に書いて、それをサインされて渡される黒人がいるような時代があった。自由な身でいられるのは、そんなに簡単なことじゃなかったんです。

自由は大きく集団的自由と個人的自由に分かれます。自由に対する闘いは、集団的な闘いと、個人的な闘いがありました。

私たちは今まで共同体のなかで生きてきました。これまでは地縁や血縁によって共同体ができる時代だったから、ある共同体が自由を勝ち取ろうとするのが、集団的自由を獲得する闘いでした。

それが現代社会では共同体が弱くなって、社会全体が個の集合体になっています。我々は何らかの利益であったり、何かの関心事であったり、そういったものによって「個」がつながる集合体としてできあがっているんです。そのように社会基盤が変化していて、多様な人々がいる。だから「個」をどう考えるかが問題です。私とあなたは一緒じゃないのに、一緒ですよと考えてしまう、押しつけてしまう。それが、一緒じゃない人にとってはプレッシャーになるわけです。期待されている役割を演じなければならない。いわゆる同調圧力です。

また、テクノロジーの発展、技術革新によって人々のコミュニケーションの仕方も変化しています。働き方も変化しています。それをどう考えるかも問題です。

こうしたなかで、これまで想像もしなかった社会課題が多く出現していて、それらは論理的思考だけでは解決できなくなってきています。アートであったり、表現であったり、いろいろな形で課題に取り組まなければなりません。

もう一つ大事なことがあります。課題には必ず答えがあるとこれまで我々は思っていたけど、必ずしも答えがあるわけではなくて、そこに問いが生まれるということが重要になってきているんです。そうやって、グローバル化された社会に、新たな価値を創造する必要があると思われるのです。

『シャルリー・エブド』と表現の自由

２０２０年から始まった新型コロナウイルスの流行で、世界は劇的に変わりました。そこから約３年の間に、さまざまな変化がありました。パンデミックが我々の日常生活や世界経済に与える影響、ワクチンの開発とその接種に対する疑問や反対運動、東京オリンピック・パラリンピックの延期と開催、ブラック・ライブズ・マター（ＢＬＭ）運動の世界的な広がり、第46代アメリカ大統領選挙（トランプ対バイデン）の世界的インパクト、ミャンマーでの軍事クーデター、アジアの民族・人権問題、アフリカ各地の民主化問題と内戦の長期化、ウクライナ戦争……。

世界は新しくなって、形が変わり、複雑になっています。例えば、コロナで世界経済の脆弱性があらわになりました。急激な円安やドル高など、いったい誰が操作しているのか分からない、目に見えないものが世界を動かしている。でも、目に見えないそれこそが私たちがつくり、望んだ構造なんです。その構造が私たちを不自由にしている可能性があります。そのことを私たちがどう認識しているかが重要です。

グローバル化の限界という指摘も出てきています。私は、世界はモダン（※1）でもポストモダン（※2）でもなくて、全く新しいネオモダン、ネオコロナの時代になっているんじゃないかと思っています。形を変えているだけだから、「ポスト」じゃなくて「ネオ」なんです。そこを注意してみてほしいと思います。

その象徴的な例としてあげるのが、フランスのパリで２０１５年１月７日に起きた「シャルリー・エブド襲撃事件」です。私にとっては衝撃的な事件でした。

『シャルリー・エブド』の前身は１９６０年に創刊された月刊誌『アラキリ』です。週刊誌化された後の70年には、ド・ゴール元大統領の死去を巡る表現で発禁になった過去があります。その後、現在の紙名で再刊して、一時休刊の後、92年に復刊されました。ＡＦＰ通信によると平均部数は約３万部という媒体です。

その『シャルリー・エブド』の本社に、イスラム過激派と見られる武装した兄弟が襲撃し、編集長、風刺漫画家、記者、警察官ら12人を殺害しました。襲撃後に逃走して立て籠《こ》もり、翌日の8日には連携していた別の男も警察官を殺害して逃走しました。最終的には警察が突入し、犯人の兄弟と男が射殺され、その際に人質４人が犠牲になりました。

事件の背景には、２００１年９月11日のアメリカ同時多発テロ事件後、世界各地でテロが発生し、『シャルリー・エブド』が紙面でイスラム教原理主義を批判してきた経緯があります。特に預言者ムハンマドをキャラクターとして描いて風刺したことが、イスラム教徒の反発を招いていました。イスラム教は偶像崇拝をしないのが大前提で、この風刺画がイスラム教への挑発にあたると捉えられたのです。フランス国内でも行きすぎた挑発だと批判され、政府からも自粛要請が出ていたにもかかわらず、風刺画を掲載し続けて、脅迫を受けていました。

フランスでは１９０５年にライシテ（政教分離）法が制定されて、政教分離が大原則になっています。当然、個人の信仰の自由が尊重されますが、それと同時に、宗教批判の自由も尊重されています。一方で、信者個人への批判は違法になります。

こうした社会背景のなかで事件が起き、表現の自由とは何か、ジャーナリズムの自由とは何か、議論が起きました。表現の自由があるからといって、どこまで表現者が社会を無視したり、人の内面まで挑発していいのか。表現だからといって、何でも自由に表現していいのか。もちろん表現の自由は大切だけれども、ジャーナリズムはどこまで自由なのか。

こうした議論が巻き起こっているときに、世界の指導者がパリに集結して、表現・言論の自由を示そうと、行進を行いました。フランスのオランド大統領（当時）、イスラエルのネタニヤフ首相（当時）、ドイツのメルケル首相（当時）、マリのケイタ大統領（当時）、ベナンのヤイ・ボニ大統領（当時）などがいましたが、このとき、オランド大統領と腕を組んで隣に並んで行進していたのが、私の出身国であるマリのケイタ大統領です。しかし同じときに、マリでは内戦でたくさんの国民が死んでいました。それなのに、なぜここに来ているのか。そして、どういう立場で自由を訴えるのかと私は思いました。

　3人の犯人のうち1人は黒人系の移民2世、3世でした。フランス生まれフランス育ちのフランス人であるはずなのに、社会のなかで移民2世、3世が排除されている現実があったわけです。排除されるからこそ、社会に反発が生まれたのです。そして、フランス人であるのに、マリ政府に犯人の遺体を引き取るかどうか打診まであったと聞きました。親がマリの出身なのですが、この犯人はフランス人でマリとは関係ないんです。

　同時期に、マリ出身の不法滞在者が、この事件のときに被害者のユダヤ人数名を助けたとして表彰され、フランス国籍を取得しました。いいことをすればフランス人と呼ばれるのに、悪いことをするとマリ人と言われてしまう。死んでまで自由がないのか、と愕然としました。

　京都精華大でも、この事件を大きな問題と捉えて、緊急シンポジウムを開きました。『シャルリー・エブド襲撃事件を考える　表現の自由とテロリズム』と題して、人文学部（当時）

の山田創平先生の司会で、私とポピュラーカルチャー学部（当時）の安田昌弘先生、マンガ学部の篠原ユキオ先生と議論しました。

　こうした移民問題はフランスだけではなく世界中で起きていて、日本も例外ではありません。日本でいえば、一つの例として、在日外国人の2世、3世、4世の人たちが本当に日本社会のなかでインクルーシブ（包摂）されているのかという課題があります。日本でも今、移民が増加していて、今後さらに増えることは間違いなく、いずれはフランスのような社会になっていきます。そのとき、こういった問題に直面していくはずです。

　２０１６年にもフランスで移民問題が起こりました。いわゆるブルキニ問題です。フランスでは夏になると開放的になって、各地のビーチは水着を着た人で賑わいます。パリでもセーヌ川の河岸にパリビーチができるくらいです。

ニースという都市のビーチで、イスラム系の女性が身につけていたのが、ブルキニです。ブルカ（イスラム教では女性は顔以外の素肌を見せてはならないため、頭部を覆う大判のスカーフのようなもの）とビキニをかけ合わせた造語で、全身を包むような水着です。これをフランスの地元警察が、違法だと取り締まりました。ブルキニを身につけている女性に、違法だとして脱がせるのです。これは人間の尊厳を傷つける行為だとして、世界中で反対運動が起きて、撤回されました。

こうしたイスラムフォビア（イスラム恐怖症、イスラム教やイスラム教徒に対する憎悪や偏見）は、特にフランスで広がっています。移民の2世、3世は、フランスで生まれ育ち、フランス国民は平等だと教育を受けてきたのに、実際には就職で不利になったり経済格差が生まれたりして、社会に不満を持っていきます。その不満を持つ人の一部が、テロを起こしたり、イスラム過激派になったりする。犯罪と宗教とは別に考えるべきなのに、イスラムとテロのイメージを結びつけて考える人が多くなってしまっています。

この状況に「イスラムフォビアは自由ではない」と、フランスのイスラム系の若者たちがデモを起こしたりしています。

今ある自由を勝ち取るまでの5人の物語

ここで少し話を変えて、今ある自由を勝ち取るために努力してきた、さまざまな人の物語を紹介したいと思います。

1人目はジェシー・オーエンス（1913年〜1980年）です。彼はアメリカ南部で育った黒人系アメリカ人です。10人兄弟の9番目として生まれ、幼い頃は貧しく、とても病弱でした。それが、恩師によって走ることに目覚めて、全米の記録を塗り替えるオリンピック選手にまで成長しました。１９３６年のベルリン五輪では、男子１００メートル、２００メートル、走り幅跳び、リレーの４種目で優勝し、４冠を達成します。当時は大恐慌のさなかで、激しい黒人差別もあり、苦難を乗り越えての偉業でした。ときのドイツ首相だったヒトラーは、ナチスドイツの偉大さ、アーリア人がすぐれた支配民族であることを、オリンピック開催によって誇示しようとしていました。しかし、オーエンスの活躍によってその思惑が外れ、世界の人が彼をオリンピックのヒーローと称えたのです。しかし、オリンピック後も黒人差別が依然としてあったアメリカでオーエンスは不当な扱いを受けることも多く、１９７６年になってやっと大統領自由勲章を受章します。彼の半生は映画（『栄光のランナー／１９３６ベルリン』２０１６年）にもなっています。

２人目はウォーレ・ショインカ（１９３４年〜）です。彼はアフリカ人として初のノーベル文学賞を１９８６年に受賞しました。ナイジェリア出身で、イギリスのリーズ大学で学び、詩人・劇作家として活躍しています。小説、論評、演出、映画などの分野でも才能を発揮し、戯曲『死と王の先導者』が代表作です。彼はナイジェリア政権が内戦で独立派を武力制圧したことにヒューマニズムの立場から批判して2年間投獄されたり、軍事政権になってからは国家反逆罪で死刑宣告されて国外逃亡していたり、政治的な発言で知られています。

特に最近注目を浴びたのが、アメリカ大統領選挙です。彼はアメリカ永住権を取得していましたが、アメリカ大統領選の際に、トランプ批判をして「トランプが大統領になったら米国永住権を返し、アメリカから立ち去る」と宣言し、実際にトランプが大統領になると、アメリカを出ていきました。彼は「自由の最大の危機とは、批判が世の中から欠如することだ」と言っています。

批判ができるということは、自由であることの証拠であり、大事なことです。自由に批判ができない社会は、何かに抑圧されているということになります。一般的にいえば、北朝鮮のような独裁政権、ミャンマーのような軍事政権の国では、政治的抑圧があり、自由に批判ができない状態にあります。批判すれば逮捕されてしまう事実があるからです。

ただ、私が日本にいてよく思うのは、日本人こそ、批判を素直に受け入れられない人たちだということです。例えば、その考え方は違うと思って批判をすると、その人自身ではなくその考え方だけを批判しているのに、なぜか、自分という人間そのものが批判されていると受け止める人が多いのです。だから、批判すること自体が許されない雰囲気が社会にあります。批判をすると、冷たくされてしまうんです。批判を許さない社会構造がある。批判を素直に受け止めることができなければ、健全な議論が成り立ちません。そこに日本という国の危うさを感じます。

３人目は、ダライ・ラマ14世（１９３５年〜）です。チベット仏教の最高指導者で、亡命生活を送ってノーベル平和賞を受賞しました。ダライ・ラマは、現代社会に対してこう言っています。みなさんはどんなことを感じるでしょうか。

問い：人類について最も驚くべきことは何か。
答え：現代人の生き方です。
彼らは健康を犠牲にしてお金を稼ぎ、
その稼いだお金で健康な体に回復しようとする。
そして未来を心配するあまり今を楽しめない、
その結果、今を生きることも、未来を生きることもしない。
まるで命が永遠であるかのように生き、

結局生を謳歌せずして死んでいくのです。

これを聞いたとき、日本社会を見てるんちゃうか、と思ったんですよね。「健康を犠牲にしてお金を稼ぎ」というのは、私にも100%当てはまります。他人事《ひとごと》ではないんです。お金を使うと奥さんに「子どもの未来のためにとっておかないと」ってよく怒られるんですけど、子どもは自分で稼ぐ方法を自分で身につけるために教育を受けてるんちゃうか、と思うんです。だから、結局今を生きられないし、未来も生きられないってなっちゃう。そう思うと、ダライ・ラマの言うことは重要です。

京都精華大に特別に来てもらって講演会をしたこともあります。そのとき、彼は学生に対して自由についてこう話しました。

「自由というものは、個人個人の創造性に基づいて達成されるべきものではないかと思います。最終的にはこの世界の自由を達成するために必要なキーファクターは〝個人の創造性〟であり、これがなければ発展はありません。個人の創造性によって私たち個人個人の自由が得られるのであり、言論の自由、思想の自由は非常に大切な要素です。どんな力もそれを止めることはできません。それが自然の流れだからです」

ダライ・ラマは幼少期にダライ・ラマの生まれ変わりだ、14世だと言われて、修行を始めて、若い頃にはチベットを追われ、亡命政府でチベット仏教の指導者としてチベット人の自由を求め、さらに世界平和を求め続けてきました。ダライ・ラマの行動を見ていると、自由を個人のものとして考えるのではなく、自由とはもしかしたらコモンズ（共同体）のものじゃないかと感じます。「自由とは一人のものではなく、共有するものだ」と、京都精華大学大学院芸術研究科の岡田温司先生も指摘しています。自由は共同体のもので、共有するものである。つまり、コモンズの精神というものがあると思います。

４人目は、ネルソン・マンデラ（１９１８年～２０１３年）です。私の最も尊敬する指導者です。彼は南アフリカ共和国における人種隔離政策「アパルトヘイト」に対する反対運動を行っただけで、国家反逆罪で27年にも及ぶ獄中生活を送ります。彼をシンボルにして、アフリカ民族会議は全人種参加選挙を実現させるための闘争を行い、選挙が実現すると、彼は第８代大統領に選出されました。

彼が獄中から出てきたときに、白人は嫌いだろう、だから黒人優位の政権をつくろうと言われたわけですが、彼は明確に否定しています。

「私は白人による支配に反対し、そして黒人による支配にも反対してきました。全ての人々が協調して平等な機会の下で共に暮らしていく、民主的で自由な社会という理想を大切にしています。この理想に人生を捧げて実現を目指すことができれば最も望ましいですが、必要であれば、この理想のために死をもいといません」

彼は民族和解・協調を呼びかけ、「自由になることは、単に束縛から解放されることではなく、他人の自由を尊重かつ促しながら生きるようになることだ」という言葉を残しています。これは非常に重要な言葉です。他人による束縛から解放されるだけでは、自由ではないんですね。自分が他人の自由を尊重して、他人の自由を促すということが、自分の自由につながっているわけです。

5人目は、インド独立の父と呼ばれるマハトマ・ガンジー（1869年～1948年）です。彼は民衆暴動やゲリラ戦をするのではなく、「非暴力・不服従」を徹底することで、インドをイギリスからの独立に導きました。

彼は日本が侵略戦争をしているときに、「全ての日本人への手紙」というものを書いています。「死ぬ覚悟があれば自由に生きられる」という題名の手紙です。

「もし私が自由人であったならば、もし私があなた方の国に行けるならば、弱っているにしても、自分の健康や、命さえ危険に陥れたとしても、あなた方の国に行き、あなた方が中国、世界、ひいては自分自身に対して行っている悪行を止めるよう、お願いするでしょう。（中略）けれど私にはそのような自由はありません」

ただ、ガンジーは、インドのカースト制度については非難することなく、インドの社会構造に言及することがなかった。その点は、私は残念に思っています。実際にインドに行って、いろいろと考えたことがありますが、それはまた別の機会に話したいと思います。

転換点になった1968年

こうした自由との闘いをしてきた人たちのことを振り返ってみると、その転換点になったのが、集団的自由運動と個人的自由というものが議論された1968年です。この年はキング牧師が暗殺された年でもあります。

キング牧師こと、マーティン・ルーサー・キング・ジュニア（1929年～1968年）は、アメリカのジョージア州アトランタにある教会の牧師でした。

当時のアメリカは、リンカーンの奴隷解放宣言により奴隷制度は廃止されていましたが、人種差別は色濃く残っていました。南部の多くの州ではジム・クロウ法と呼ばれる法律に基づき、学校や公共施設のトイレ、水飲み場、バスなどの公共交通においても、白人用と非白人用に区別して使用されていました。トイレにも水飲み場にも「White」「Colored」と書いてあるんですね。バスに乗るときは、黒人は白人に席を譲らなければならなくて、譲らないと逮捕されてしまう。

　キング牧師はこうした状況に非暴力で反対を示そうと、黒人にバスの乗車をボイコットする運動を呼びかけました。これがモンゴメリー・バス・ボイコット事件（１９５５年）です。

　呼びかけた翌日、アメリカ中がその行方を見守っていました。朝、いつもなら黒人で満員のバスが通るのですが、朝一番のバスには、誰も乗っていなかった。２番目のバス、３番目のバスにも黒人は乗っていませんでした。そして、多くの黒人たちが晴れ晴れとした顔で大通りを歩き、街を謳歌していました。この成功は全米に伝えられて、アメリカ中に運動が広がっていきます。キング牧師は確かな手応えを感じていました。しかし、黒人迫害をする白人の秘密結社ＫＫＫ（クー・クラックス・クラン）によって、キング牧師の自宅は破壊されてしまうんです。これに怒った群衆は白人への復讐を叫びますが、興奮する群衆にキング牧師はこう呼びかけています。

「我々はたとえ暴力を受けても決して暴力で報復はしないのです」

こうして、約1年にわたってボイコット運動を続けた結果、連邦最高裁判所はバス車内人種分離法に違憲判決を出しました。ようやく、人種隔離をしないバスの第1号車が１９５６年12月に運行を始めたのです。

それでも、バス以外の食堂、学校、図書館などの公共の場では依然としてトイレや水飲み場での人種による分離が行われたままでした。そこでキング牧師は、非暴力・不服従を通して白人の黒人への差別をなくし、黒人の市民としての権利を確立させる法律「公民権法」を全米で確立しようと運動を続けていきました。

しかし、キング牧師たちの公民権を求める平和なデモ行進に対して、警察は暴力で阻止しようとしました。ひざまずいて祈っているキング牧師を逮捕するんですね。釈放されたキング牧師が自由を求めて行ったバーミンガムの行進では、警察犬が黒人に咬みつき、消防車が黒人の列に放水し、暴力で拘束しました。黒人たちの願いは届かず、白人はあくまでも力で抑えつけようとしました。キング牧師はこのとき、「非暴力主義の根底には、命を捧げられるほど愛おしくて、貴くて永遠に真実な何かがあると確信する」と演説しています。

それでも非暴力主義を続けた結果、警官の命令に反して、黒人の行進に道を譲る白人たちがあらわれました。その様子は全米に報道されました。非暴力を貫く姿が、加害者側であった白人たちの良心を呼び覚ましたのです。1963年8月28日にワシントンのリンカーン記念堂前大広場で行われた集会には、25万人が集まり、そのなかには6万人の白人がいました。そこで、あの有名な演説「I Have A Dream」が行われました。その一部を抜粋します。

私には夢があります
いつの日かジョージア州の赤土の丘の上で
かつての奴隷の息子たちと
かつての奴隷所有者の息子たちが
共に兄弟愛のテーブルにつくことができる日が来ることを
私には夢がある
いつの日か私の小さな4人の子どもたちが
肌の色ではなく人格そのものによって評価される国に住む日が来ることを
私には夢がある
いつの日かアラバマで、黒人の少年少女と白人の少年少女が

兄弟姉妹のように手と手をとりあうことを
我々は、かの日の到来を早めることができるのです
黒人も白人も、ユダヤ人も異邦人も、プロテスタントもカトリックも
全ての神の子たちが手に手をとって
あの古い黒人霊歌を口ずさむことができる日の到来を
「とうとう自由だ！　やっと自由だ！　全能の神に感謝せん！　我々はついに自由だ！」

こうして、１９６４年にとうとう公民権法は成立しました。しかし１９６８年、キング牧師は暗殺されます。公民権運動の枠を超えて、ベトナム戦争に介入したアメリカ政府を批判した直後のことでした。死の２カ月前、キング牧師はそれを予感したかのように話しています。

「もし、私の最期が来たら、長い葬式は要らない。その日、こう話してほしい。マーティン・ルーサー・キングは生涯人に仕えたと。マーティン・ルーサー・キングは、他者への愛に生きたと。それ以外はつまらぬことだ。私は金を残しては逝かない。しかし、悔いのない人生だけは残していきたいのだ。道の途中で、私の言葉や歌が、誰かを助け、元気づけ、正

しき道へと導いたとき、初めて、私の生に意義があったと言えるのだ」

キング牧師は、京都精華大ができて３日後くらいに殺されたことになるんですね。テネシー州立大学で私が講演をしたときに、背景にキング牧師のポスターが飾られていたことは、すごく感慨深いです。

この１９６８年は、世界でも日本でも転換点になりました。世界ではベトナム反戦運動とヒッピーが流行して、日本ではフォークソングが流行って、全共闘運動が起こりました。世界中で若者が「自由」を求めて、既成の価値観に反抗した時代でした。エコロジー、ロック（音楽）、平和主義、フェミニズム、反差別、ＬＧＢＴ、ポップアート、公民権など、今あたりまえになっていることの多くは、このときに問題提起されたものなんですね。

それから50年以上経って、21世紀になった今でも、まだ差別は残っています。テネシー州に行ったときに聞いたのは、社会的に地位の高い人が入会できるカントリークラブがたくさんあるそうなんですが、いまだに白人しか入れないんです。テネシー州といえばアメリカンフットボールが盛んで、その総監督といったら絶大な社会的地位があります。しかし、２０２１年に黒人の総監督がカントリークラブに入ろうとしたら、多くのクラブが入会を断ったというんです。21世紀になってもですよ。平等と言いながらもそういう差別が残っているテネシー州の人たちはだから、黒人で日本の大学の学長になった私の話を聞きたかったんです。

キング牧師の話から学べることはたくさんあります。彼が「自由のために死んだ」ことは、ガンジーの「死ぬ覚悟があれば自由を求めろ」と共通するところがあります。自由について考えるべきことは、たくさんあるんです。

２０１９年に、私はルワンダの虐殺（ジェノサイド）についての本『神《イマーナ》の影　ルワンダへの旅――記憶・証言・物語』（ヴェロニク・タジョ著、エディション・エフ刊）が出たときに、その帯の言葉を次のように書かせてもらいました。

「ルワンダの悲劇から25年。この間も人類は殺戮をやめようとしない。著者は旅で出会った真実を書き記し、人びとの記憶から人間模様を描き出した。物語はわたしたちに、共生社会のあり方について思考する機会を与えてくれる」

ここに書いたように、「共生社会」はどうあるべきなのか、それは重要な問題だと私は思います。

差別と区別とアイデンティティ

ブラック・ライブズ・マター運動が起きたとき、私も日本のテレビ局に何度も取材されました。そのときの映像には、いつも「黒人大学長が見る」とか「黒人大学長が語る」とか、画面の端っこにテロップが出るんです。書く必要ないんちゃう、と思うんです。白人だったら「白人大学長が……」って書くでしょうか。書かないですよね、きっと。そういう意味で、意識せずにやっているんでしょう。

２０２０年のテニス全米オープン大会で大坂なおみ選手が、毎日、異なる名前が記されたマスクを着けて登場して、注目を集めました。アメリカで警察の人種差別的な暴力の被害にあった黒人犠牲者たちの名前です。ブラック・ライブズ・マター運動が注目されるきっかけになった、ジョージ・フロイドさんの名前もありました。彼は偽札でたばこを買った事件を捜査していた警官に呼び止められて逮捕されました。動画には、無抵抗だったフロイドさんを警察がうつぶせに押さえつけて、フロイドさんが「息ができない」と何度も訴えていたのに、押さえ続けた様子が記録されています。フロイドさんはその後、病院で死亡が確認されました。他の名前の人たちも、みな警官の暴力によって死亡しています。大坂なおみ選手は、黒人として、人間として、耐えがたい人種差別への抗議と暴力によって命を落とした人々への連帯と敬意を表そうとしていました。

　彼女が２０１８年の全米オープンで優勝したときに、記者会見で、ある記者がアイデンティティについてインタビューして、大炎上しました。「テニスに関係ない話で、いきなり人種に踏み込む質問をするなんてありえない」「国籍は関係ない」などと批判が相次ぎました。記者の質問の意図が分からずに何度も質問を聞き直した末、彼女は、「父はハイチ人です。私はニューヨークのハイチ系の家庭で育ちました。私の母は日本人なので日本文化とともにも育ちました。アメリカ文化も見えるとしたら、私はアメリカで暮らしているので、アメリカ文化も持っています。これが答えになっているといいのですが」と秀逸な答えを返しています。別のインタビューでも「私は私なだけ」と答えています。

　大坂なおみ選手が優勝した後、日本人は「やっぱり日本の血を引いてるから、こういう部分が日本人らしい振る舞いだ」と思い込むし、ハイチ人は「ハイチの英雄だ」と誇りに思うし、アメリカ人は「彼女はやっぱりアメリカ人だ」と思うわけです。

　だけど、〇〇人っていうふうに、無理矢理に外からアイデンティティを押しつける必要はないんちゃう、って思うんです。その人がしたいようにすればええやん、と。

　私自身もそうです。日本の国籍を取得したので、法律的には日本人になります。でも、１

００％日本人とは思ってないし、マリ出身でマリの文化で育った日本人なんです。マリ人らしさを捨てて「日本人」みたいになろうなんて思ってもいないし、マリで育ったから自分がある。そういうふうに、人それぞれ、自分がこうありたいと思う生き方、アイデンティティをみんなが尊重すればいい。

そういうのが、京都精華大が考えている自由でもあるんです。

あるときはＣＮＮのキャスターが２日間、私に密着インタビューしていた際に、何かとつけて「あなたは日本で差別されていますよね」って聞いてくるんです。「いや、区別はされているけど、差別はされてないよ」と答えたんですが、そういう先入観が差別なんじゃないかと思うわけです。

メディアに対して気をつけなければいけないのは、こういった取材者のフィルターを通して報道されているということです。そのフィルターを外して、本当はどういうことが起きているのか、気をつけて真実を見なければならないんです。

ここで、区別と差別の違いについて、考えたいと思います。

なぜ人を区別するかというと、我々は残念ながら、生まれたときから社会制度にコミットしてるとみなされているからです。近代というのは、最初から管理するシステムなんです。すると、管理するために、人あるいは物を区別する必要が出てくるんです。例えば、私の専門の建築分野でいうと、地区、エリアを区別して都市計画を考えます。この地域には高層ビルを建てられるけど、この地域には３階建て以下の建物しか建ててはいけない、とかね。それが近代のやり方なんですね。だから、序列化とか優位性だったりとかを含めて、区別をする必要が出てくる。近代は平等であると思われがちですが、実は区別をしている。その区別された中だけでしか自由が認められていないというのが、近代の暴力的な面であると私は捉えています。

差別というのは区別と比べてハッキリと見えることもありますが、一方で一見したらよく分からないけれど社会構造そのものが差別を生んでいる場合もあります。それを構造的差別、構造的人種差別（structural racism）といいます。歴史的なものだったり、組織的なものだったり、それが構造化されていることで、気がつかないうちに差別が生まれていることもあるんです。

この後の章では、さまざまなゲストの先生を招いて、議論していきます。ゲストの先生たちがそれぞれ考える、この社会の不自由な仕組みを説明してくれます。

例えば、近代化を受け入れた時点で、社会の不自由さを私たちは受け入れてしまっています。近代社会は生産管理社会です。マネージメントして管理して、利益を出す人間の方に価値がある、という価値観です。だから大学でも生産性の高い人間を育てようとします。就職活動も、大学受験も、小さな子どものお受験も全てはそこに行きつきます。気がつかないうちに、私たちは近代化という不自由さに巻き込まれているのです。そういう認識があるかどうか。自由と不自由を把握して、そのなかでどう自由を獲得していくか。自由を語ること自体が不自由なことなんですね。

本書では専門家がさまざまな専門知識から自由を語っていきますが、それは押しつけているわけじゃなくて、こういう捉え方があるよ、というのを見せているだけで、それをどう消化するかは、この本を読んでいるみなさん次第です。

最後は自由論を経由して、自由とは難しいっていうことに、この本を読んでいるみなさんに気づいてもらうことが大切だと思っています。

そして、自由とは与えられるものじゃなくて、つかみとるものなんだということに気づいてほしいと思っています。それに気づいたうえで、ぜひ、それぞれが、自分なりの自由をつかみとってほしいと思います。

※１　**モダン**　近代。１８９０年代〜１９４５年の時代。ダーウィンやフロイト、マルクスなどによって、より論理的、合理的、科学的なアプローチを思考して、過去から学び、工業化していった時代。また、モダニズムという文学的運動や、非装飾的で合理的な形態の追究をするモダンデザインやモダニズム建築という芸術運動に発展した。

※２　**ポストモダン**　脱近代。１９６８年以降の工業化後の時代。過去から学ぶのではなく、世界やさまざまなコミュニティとの関係から、主観的思考により、現実世界を超えた概念や創造力を駆使して、グローバリゼーションしていく時代。また、モダンデザインからの脱却を目指した芸術運動。

「社会」と自由

第2章

◈ 山田創平（京都精華大学国際文化学部長）

1974年生まれ。社会学者、文化研究者。都市におけるマイノリティ研究、言説理論を用いた地域研究を専門とする。京都市人権文化推進懇話会（専門意見聴取会）の委員として京都市パートナーシップ宣誓制度の策定に携わった。また各地の美術館やアートプロジェクトでコンセプトデザインや教育プログラム立案に関わり、批評・制作活動も展開している。主な編著書に『未来のアートと倫理のために』（2021年、左右社）など。

マイノリティとは何か——差別は構造的現象である

私の専門は社会学です。これまで主に「人権論」「差別論」や「表現の自由」について研究をしてきました。今回は、社会学的な文脈で「自由」について考えてみたいと思います。「社会学的」というとちょっと難しそうに聞こえますが、それは言い方を変えれば「構造的に見てみよう」という意味と、ほぼ同じになります。今日は「自由」について、構造的に考えてみたいと思います。今日の話のなかには「自由」だけではなく、そこに隣接するさまざまな言葉、例えば「抑圧」「公平性」「平等」「差別」「マイノリティ」といった言葉も出てきます。「今の社会がどうなっているのか」という構造を知ると、これらの言葉の意味するところがよく分かってきますし、現代の社会における「自由」の意味についても、クリアに理解できると思います。

世界は言葉で切り拓かれる

これから先、私からは主に二つの話をすることになります。一つは理論の話、もう一つはその理論を用いた現代社会の分析です。

では、まず理論の話からいきたいと思います。私の専門は言説理論、言説分析という領域なのですが、この方法論は現在、さまざまな学問領域に応用されています。その範囲は哲学、文学、文化人類学、社会学、建築学、精神医学などにも及び、20世紀人文諸学の大きな潮流になっているといっても過言ではありません。またこの方法論は、それぞれの専門領域でさまざまな呼ばれ方をしており、例えば記号論と呼ばれたり、構造主義、社会構築主義、社会的構築主義、社会構成主義と呼ばれたりもします。またポストモダニズムや、ポスト構造主義といった思想的立場も、言説理論と密接に関わっています。ただ、これほどまでに大きな影響力を持つ理論なのに、学生さんの多くはその内実をあまり知りません。

ですので、私からはまずこの「言説」という考え方、そして「言説」を用いて社会や文化を分析する「言説理論」「言説分析」についてお話ししたいと思います。とはいえ、これらの理論について独学で勉強しようと思ってもなかなか難しいかもしれません。読むべき本が多く、そしてそのほとんどが、理論を理解する上で最も重要な基礎の基礎を説明してくれていません。大学で学ぶことの意義はまさにここにあると思いますが、大学の授業であれば、教員は手を替え品を替え、学生が理解できるまで説明を試みることができます。今日はいい機会ですので、言説理論についてその基礎的内容を理解していただけたらと思います。

言説理論とは、ひとことでいうと、「人間の認識は言語的に構成されている」という考え方なのですが、それはどういうことなのでしょうか。

　具体的に説明しましょう。まだあまり言葉を知らない子どもがスーパーマーケットに行くという場面を想像してみましょう。スーパーマーケットの野菜売り場に、同じような形をした物体が並んでいます。直径5センチほどの球体で、上下にくぼみがあり、上のくぼみには数センチの細い枝のようなものが生えています。言葉を知らない子どもにはこれらが全て同じものに見えます。そのとき、近くにいた大人が「そっちにあるのはリンゴ、こっちにあるのはナシだよ」と教えてくれます。そのとき、初めてその子どもの世界に「リンゴ」と「ナシ」という現象が「生じる」ことになります。この「生じる」という感覚が難しいのですが、重要なのは、はじめは子どもの世界にリンゴもナシも「存在していない」ということなのです。言葉が与えられたことでその存在が生じた、言葉によって子どもの世界にリンゴとナシという事物が生み出されたということなのです。

　この話をしていると、よく受ける質問があります。それは「言葉を知っていろいろわかるようになるなんて、あたりまえのことだと思う。この話のどこがそんなに重要なのか」というものです。ここが一番誤解されやすいポイントです。普段何の疑いもなく言葉を使っている私たちは、リンゴという言葉を知っていても知らなくても、誰が見てもリンゴとナシは物体として、存在として「違うもの」と思っているのです。理由は「だってよく見たら形も色も違うから、違うものだってわかるじゃないか」という感じです。この考え方は、いわば言葉よりも先に世界の分類が「あらかじめ」存在していて（先の例のように「誰が見ても違う物体だとわかるんだから」といった感じで）、私たちがその「あらかじめ」ある分類に、単に名前をつけただけだというものです。私が言っていることは、このような考え方とは全く逆の考え方になります。

「あらかじめ」ある世界の分類に単に名前をつけたという考え方をここでは「物事→言葉」としておきましょう。一方で、私がここで説明しようとしている言説理論は、「言葉→物事」ということになります。物事は言葉（名前）をつけたから「見えるようになる（認識できるようになる）」のであって、言葉がない場合は認識すらできないのです。言葉が存在していない状態では、全てがあいまいで区分がなく、ふんわりとした同じようなものに見えているわけです（この状態を、認識とは区別して認知と呼ぶことにします）。そこに言葉が与えられると、初めて物事が生まれてくる。区切りの線が引かれて、あっちとこっちは「違うもの」と認識されるのです（この感覚を「差異」といいます）。

例えば私が大学の裏の林の中を歩いたとき、「木がいっぱいあるな」と感じるはずです。

「木」は認識できていますが、後は漠然としています。一方で、具体的な木の名前に詳しい人が森に入ると、私には「漠然としか感じられなかった」一本一本の木が、それぞれ個別の木として認識されるでしょう。もちろん私もそこに多種多様な木があることはわかっていますが（認知）、個別の樹木を認識できてはいません。世界は言語以前には分類がなくあいまいであり、言葉が与えられて初めて「あっちとこっちは別のもの（差異）」という感覚が生じ、その人にとっての物事が生じる。この考え方は、フェルディナン・ド・ソシュールの言語論がベースとなっています。ソシュールは言語学者ですが、このソシュールの言語観が、その後、20世紀思想の中核的なアイデアになっていくことになります。つまり人間の認識は、物質的に存在している所与の、はじめから、あらかじめある分類に名前をつけるという形で、つまり物質の「後追い」をする形でつくられるものではなく、言語を獲得することで、主体的に、主観的に、かたちづくられるものなのだ、ということになります。

　色の例もわかりやすいかもしれません。例えば英語で「赤」を表す言葉はそれほど多くありません。しかし日本語では赤のほかに朱、紅、茜、朱鷺《とき》などたくさんの言葉があります。日本画に詳しい人ならたくさん名前があがるでしょう。これらの言葉を知っている人には、これらの色はそれぞれ異なった色に見えます。言葉を知らない人には全てが同じ色に見えるわけです。

ちなみにソシュールは、あいまいな世界に言葉が線を引き、あっちとこっちは別のものと差異を印しづけるとき、その線引きに使われる言葉は「線さえ引ければ何でもいい」と言っています。これを言語の恣意性といいますが、それゆえに、日本語ではリンゴ、英語ではAppleのように、ほぼ「同じ線引き」なのに、言葉が異なるということが起こります。リンゴとナシを区別するのに、「言葉そのもの」には意味がなくて、区別さえできればいい。これって、言葉は「あいまいな世界に線を引く記号」みたいなもんだよねということで、この考え方はのちに「記号論」と呼ばれるようになります。

人間の認識は言語によりかたちづくられている

さて、一通り言説理論の基礎的な説明をしてきました。ここまでの内容をとりあえずまとめると、「人間の認識は言語によりかたちづくられている」ということになるでしょう。例えば人種や民族、性別といった現在の世界を構成する大きな概念も、はじめから（言語以前から）それらがあって、そこに○○人とか△△族とか、女性とか男性とかいう呼称をつけたのではなく、それらの言葉がある時、誰かによって使われるようになって、事後的に○○人とか△△族とか、女性とか男性という区分が「生み出された」ことになります。そしてそれらの言葉を使っているうちに、私たちはそれらの区分が「はじめからあるもの（それを「本質的なもの」とか「普遍的なもの」と言ったりもします）」と「誤解」するのです。ここまで話してくると、この考え方の新しさがわかるのではないでしょうか。つまり現在の社会でさまざまな差別を生み出している「人種」「民族」「性別」「健常／障がい」「学歴」「大人／子ども」といった属性は、どこかのタイミングで、誰かによりつくられた、いわば虚構／フィクションであって、いわば捏造された概念ということになるのです。

そして、ここでもう一つ重要な点を指摘しておきましょう。それは言葉が時代や地域によって完全に異なるということです。例えば同じ日本列島でも、平安時代の言葉は、現代の私たちにはもうほとんど理解することができません。人間の認識が言語によってつくられるとき、その言語が異なるなら、認識のあり方もまた異なるということになります。つまり平安時代の人々と、現代の私たちとでは、世界の見え方が根本的に異なるということを意味するのです。それは地域が異なっても同じです。先ほどの色の例ではありませんが、言語が異なる地域に住む人々は、認識もまた異なることになります。私たちにとっての常識は、時代や地域が異なれば全くの「非常識」になります。私たちにとっての常識は、この時代、この地域に限定された、極めてローカルな、限られた常識に過ぎないということになります。
このような問題意識に立脚して、現代の社会を批判的に分析しようという立場の一つが「社会構築主義」です。この研究領域では、私たちの社会で言葉がどのように使われているかを知ることが重要になります。このような問題意識から雑誌や新聞、インタビューデータなどを分析する研究領域が言説分析になります。

さて、前置きが長くなりましたが、私たちが考えるテーマは「自由」でした。自由とは言葉ですから、社会的に文化的につくられた概念ということになります。そしてそれぞれの時代や地域によって「自由」という言葉の使われ方も、その言葉の意味するところも、微妙に異なるはずです。その違いは、それぞれの時代や地域における「自由」という言葉の使われ方を分析すると見えてきます。講義の冒頭でもお話ししましたが、私は現代社会の差別や人権のありようについて調査、研究をしてきました。その立場から次に、現代社会の「あたりまえ」がどのようにつくられてきたのか、現代社会であたりまえとされ、人々が内面化してきた階級意識や差別意識が、どのように構築され、捏造されてきたのかをお話ししたいと思います。

近代資本主義が内包している差別

それぞれの時代や地域にそれぞれの言葉があって、世界の見え方が全く違うとしたときに、「今の私たちが生きる社会に特有の言葉」、そしてその言葉がつくる「社会の空気」「制度／システム」は何なのか、が重要になってきます。それは間違いなく「近代」であり、「資本主義」ということになるでしょう。私たちは日々、「近代」的な、「資本主義」的な言葉を用い、私たちが生きるこの社会を構築しているのです。

ここで、資本主義とは何か、簡単に確認したいと思います。

近代以前の社会は、家や、家のなかにある工房でモノをつくっていました。なぜかというと、人力、動物の力、水車とか風車くらいしか動力源がないので、工場をつくることができなかったからです。このような生産システムを家内制手工業とか、工場制手工業（マニファクチュア）と言ったりしますが、要は大きな機械を動かして何かを生産することがなかった時代の生産様式になります。

そこに変化をもたらしたのが、蒸気機関の発明です。水蒸気を利用することで大きな機械を動かすことができるようになりましたし、やがては水蒸気を利用してタービンを回して発電も可能になりました。これが新しい時代を生み出したわけです。いわゆる産業革命です。大きな工場や会社ができて、そこで人が働くようになります。みなさんも卒業後は就職して会社で働く人が多いと思いますが、実はそれもこの150年くらいの間に人間がつくったシステムなのです。

工場や会社はお金を持っている「資本家」がつくったもので、働いてくれる「労働者」に「あなたの給料は1日1万円です」と言って働いてもらうわけですね。例えば一つの工場に3人の労働者がいるとします。原材料費や光熱費などを除いて残ったお金を3人で均等に分けると、1人5万円になるとしましょう。でも実際には働いている人は1万円しかもらっていない。残りの4万円がどうなるかというと、資本家のもとに入るわけです。これはおかしい、搾取じゃないか、みんなで均等に分けるべきだ、と言ったのがマルクスです。そういう社会を共産主義社会として理想とみなしました。一方、現在の社会では資本家がいて、そのもとで労働者が働くという資本主義的生産システムがあたりまえとなっています。

資本家は残りの4万円を貯めて、設備投資をして事業拡張をはかります。つまり、資本家が貯めたお金は商売を拡大するために活用されて、工場や会社が大きくなります。するとさらに働く人が増えて、さらに資本家のもとにお金が蓄積していきます。このように、働く人が増え、工場や会社がどんどん大きくなる状態を「経済成長している」といって、近代資本主義社会では良いものとされます。先ほどマルクスの話をしましたが、このようなお金のまわり方は不公平だという指摘は常にあります。資本家が労働者を搾取しているという意見ですね。みなさんはどう思われるでしょうか。

実はここに、もう一つの搾取があると主張したのがマルクス主義フェミニズムの人たちでした。マルクス主義フェミニズムは１９７０年代に興隆をみますが、その主張を簡潔に述べると「資本主義的生産様式のなかで、確かに労働者は資本家に搾取されている。しかし搾取はそれだけではない。そこでは同時に、女性が男性に搾取されている」というものでした。

近代資本主義社会では、多くの場合、工場労働者は「男性」でした。彼らは工場労働が終わると家に帰ります。例えば戦後日本社会などを考えてもらうとわかりやすいのですが、このとき、「会社で働く夫」と「それを支える専業主婦の妻」という人間関係が成立することになります。専業主婦が食事をつくり、子育てをし、さまざまな家事労働をし、そのおかげで夫は朝から晩まで仕事ができるわけです。そう考えてみると、資本家が工場を経営してお金を稼ぎ、資本を蓄積できるのは、朝から晩まで働く夫を支える妻がいるから、ということになります。なのに、妻には給料が払われない。払われたとしてもせいぜい家族手当の数万円です。マルクス主義フェミニズムの人々は、それはおかしいと主張しました。妻の「無賃労働」が、実は資本家の資本蓄積を支えているのです。このあたりの議論に関しては社会学者の上野千鶴子さんの代表的な著作、『家父長制と資本制―マルクス主義フェミニズムの地平』（１９９０年、岩波書店）が参考になります。

先ほどの労働者の話に戻りましょう。やがて労働者と専業主婦の夫婦の間に子どもが生まれます。その子どもが新たな労働力として、工場や会社に参入することで、設備投資により拡大した工場や会社で働く新たな労働力が確保できます。妻は無賃労働で夫の長時間労働を支えるだけでなく、新たな労働力である子どもの養育も行っていることになります。何度も言いますが、それを無賃で行っているのです。

ところで現在、少子化が問題になっています。地球上の人口は、現在は80億人以上もいます。近代以前、地球上の人口はずっと数億人でした。それなのにあらゆる国や地域で、「少子化は困る」と言っています。ここまでの話を踏まえると、その理由がわかりますよね。資本主義というのは、際限のない経済成長によって支えられるので、工場や会社はひたすら大きくなるわけです。なので、働く人も右肩上がりに増えてもらわないと困るのです。人口減少というのは、資本主義には都合が悪いわけです。つまり家庭を持って、妻が家事労働をして、子どもが生まれてきて新たな労働力になる、これが資本主義社会における「あたりまえ」になっているのです。

ここまでの話をまとめると、資本主義社会は、男性中心主義で、女性はもらえるべきお金がもらえていません。そして人々は結婚して子どもを産み育てることが前提となりますので、婚姻中心主義で、異性愛中心主義です。ここでは同性カップルは考慮されません。さらに工場で働けて、家事労働ができることが前提なので、健常者中心主義です。

男性中心主義は、女性差別があることを示しています。異性愛中心主義は、性的少数者（ＬＧＢＴＱをはじめとしたセクシュアルマイノリティ）への差別があることを意味しています。健常者中心主義は、障がい者への差別があることを示しているし、婚姻中心主義は、結婚しない生涯独身の人、あるいは子どもを持たない夫婦が疎外されることを意味しています。その意味で、結婚へのプレッシャーが強い社会なのです。

こうした今の社会の構造は、冒頭に戻ると、文化的構築物なわけです。昔からそうだったわけではなくて、近代になってつくられたのです。自由について考えるときに大事なのは、今の時代の社会構造がどうなっているかを知ることです。

つまり、普段の何気ない生活のなかで、女性が差別されていないか、身近にいるセクシュアルマイノリティが肩身の狭い思いをしていないか、障がいのある人の権利がちゃんと守られているか、単身者に対する偏見が自分のいる組織にもあるのではないか、結婚した人の方が有利になる社会制度になっていないか、ということを、我々は考えないといけないのです。

現代の社会では「異性愛・既婚・正社員男性」が中心におり、その周りに、例えば「非正規雇用の人」「専業主婦」「シングルマザー」「単身高齢男性」などがおり、さらにその周りに「セクシュアルマイノリティ」、いわゆる性風俗で働いている「セックスワーカー」、「障がいのある人」「難病の当事者」「依存症の当事者」「外国籍住民」「無戸籍の人」など、無数のマイノリティが存在していることになります。この構造は東京と地方都市で異なるでしょうし、数年単位で変化もする流動的なものですが、大きな構造はなかなか変わりません。

現在の社会で誰が居心地の悪い思いをしているのか、誰が社会から疎外され、排除されているのかを知ることは重要です。それをリアルに想像することが、自由について考えることだと、私には思われるわけです。

国家にコントロールされる近代の家族の形

先に私が述べた、近代資本主義社会で「あたりまえ」とされる家族像は「近代家族」と呼ばれます。その家族の形は、夫がいて、妻がいて、子どもが２人くらいです。この「２人くらい」というのも、近代資本主義社会をうまくまわすために、国家によってコントロールされています。近代以前や、近代初期には子どもは８人とか10人も普通でした。それが、資本主義社会が成熟してくると「子どもは２人くらい」が良いとされるようになります。人口は経済成長に合わせて緩やかに増える必要があります。突然増えたり減ったりすると、安定的な社会は維持できないと考えられるからです。

お父さん、お母さん、子どもが２~３人——どこかで見たことがありますよね。『サザエさん』や『ちびまる子ちゃん』がこれです。我々はアニメーションなどを通じて、これがあたりまえの伝統的な、普遍的な家族だよ、と刷り込まれているわけです。しかしこのような家族はこの１５０年の間に、近代資本主義社会に都合がいいようにつくられたものです。近代家族がどのようにして捏造され、昔からあるかのように演出されたのか、『国家がなぜ家族に干渉するのか——法案・政策の背後にあるもの』（本田由紀、伊藤公雄編著、２０１７年、青弓社ライブラリー）などを見るとさまざまな事例を知ることができます。

ちなみに現在、世界ではこの「近代家族」の形が大きく変わりつつあります。例えば同性婚が認められたり、市民連帯制度のような結婚に代わるパートナーシップのあり方が認められるなど、伝統的な家族や人間関係のあり方にゆらぎが生じているのです。そのようなグローバルな状況の変化もあって、現在、マイノリティの可視化は進みつつあります。例えば、アイスランド前首相のヨハンナ・シグルザルドッティルさんや、ルクセンブルク首相のグザビエ・ベッテルさんのように、自らがセクシュアルマイノリティであることを公表している国家元首も少なくありません。その点で、世界と日本の間には大きなギャップがあります。日本社会の「常識」は世界の「非常識」でもあります。

マイノリティへの差別が行きつく先は

社会にマイノリティが存在し、そのマイノリティの権利が守られないことにより、どんな問題が起こるのかを考えてみましょう。社会学のモデルの一つに「ヘイトのピラミッド」と呼ばれるものがあります。

一番下は「バイアス」で、偏見に根差した噂話とか軽口です。日々の話のなかで、ちょっと人をバカにするような、そんなイメージで捉えてもらえればと思います。ただ、そんな軽

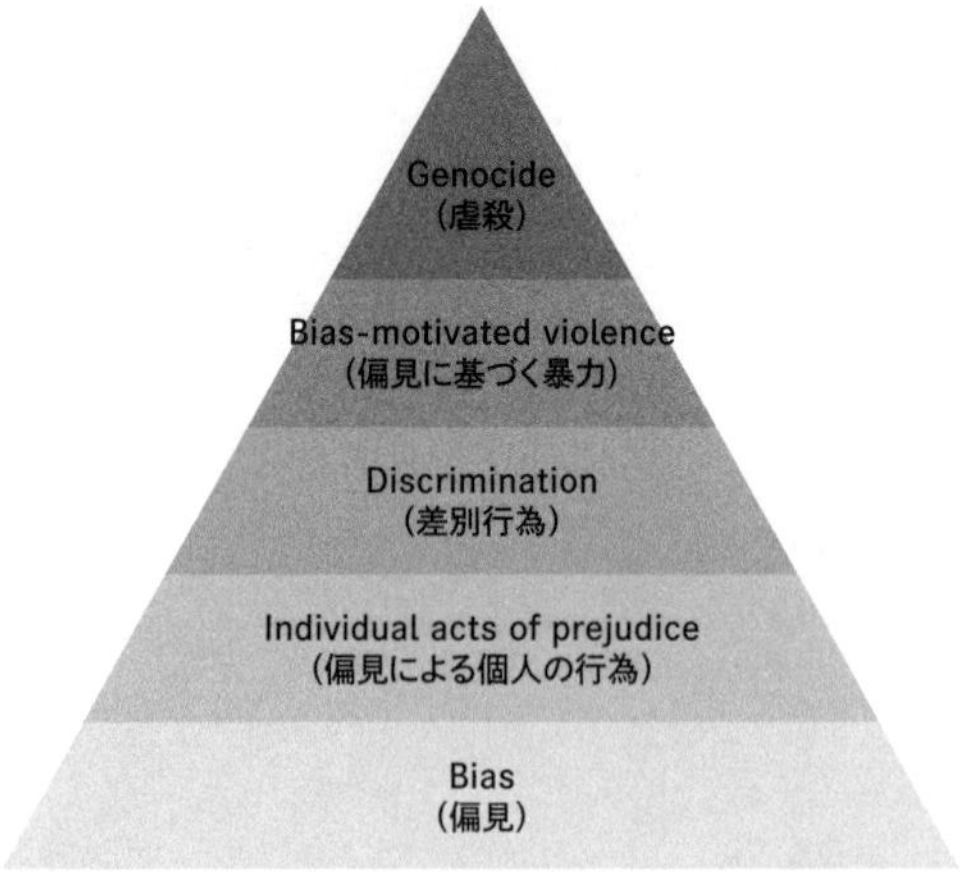

「ヘイトのピラミッド」：アメリカの人権団体「Anti-Defamation League」などが中心となり、1990年代に提起した人権教育用の概念。

口も繰り返していると、事態は深刻化していきます。気づくと、ピラミッドの段階が上に近づいていくのです。次の段階では意図的な差別表現が見られるようになり、さらに次の段階では社会的排除が公然と行われます。そして次の段階になると殺人や暴力が発生し、一番上の「ジェノサイド」では、いわゆる虐殺に至ります。

例えば、ナチスドイツのユダヤ人虐殺がそれです。600万人もの人々を虐殺したといわれますが、殺されたのはユダヤ人だけではありませんでした。ナチスは障がいや遺伝的疾患のあった人、セクシュアルマイノリティも虐殺したのです。この事例もバイアスが出発点でした。街角にマイノリティを中傷するビラが貼られ、徐々にそれがエスカレートしていったのです。そして最終的には数百万人が犠牲になってしまいました。この例からもわかりますが、だからこそ、私たちは社会のなかで誰が排除され、誰が差別されているのか、誰の自由が制限されているのかを、常に想像力を働かせて見ていかなければならないのです。差別のきっかけも、差別を防ぐきっかけも、常に身近なところにあるのです。

何度も言いますが、社会は私たちが「つくる」ものです。公然と差別が行われる社会をつくるのも私たち、差別のない公平、公正な社会をつくるのも私たちなのです。そして、冒頭でもお話ししましたが、言葉が社会をつくるという事実を考えるとき、我々が日常生活のなかで、どのような言葉を使うのかは極めて重要です。諸外国がヘイトスピーチを法規制する理由はここにあります。ヘイトスピーチや、それがやがて行きつくヘイトクライム（差別がもとで起こる暴力や殺人）の問題に、日本社会はもっと本気で向き合うべきです。今、私たちが発するその言葉によって、どんな社会がどうつくられ、そこで誰が差別され、排除されるのかということを、想像する必要があります。そしてさらにいうならば、思想家のガヤトリ・C・スピヴァクが言ったことですが、その想像の範囲を超えた、社会のなかに「いないことになっている」、語られることすらない、言葉にすらならないほどに、排除され、抑圧されているマイノリティの存在をも、私たちは想像すべきなのです。それは理論的にも、原理的・現実的にもとても難しいことですが、それが現代社会を生きる私たちの、最低限の倫理的態度なのではないでしょうか。

山田創平×サコの議論

サコ　日本社会はすぐに言葉でカテゴリー化、フレーム化して、その中でしか人を判断しないという面があります。例えば、私には「外国人」というフレームを与えて、そのなかだけで活躍してもらおうと期待するわけです。だから、私が学長だったときも、学長のサコさんじゃなくて、「日本初のアフリカ人学長」って言われるわけです。

じゃあ、マイノリティをどう公平に扱うかと考えるとき、マイノリティ優遇政策もありますが、それはマイノリティが孤立してしまうと思います。だから私はマジョリティがフレームをつくるのを変えるべきだと思っています。マジョリティといっても、実は誰がマジョリティなのか分かりません。みんな個性が違うのに同じだというのはおかしいと思っていて、マジョリティの正体は同調圧力だと思います。そのうえで、私はマジョリティと思っている人たちの意識を変えること、マジョリティ側が社会のなかのカテゴリー化をなくすことが必要なんじゃないかと思います。その構造については、山田さんのいう自由を含めてどうお考えになりますか。

山田　サコさんがおっしゃったことは大事です。人々がみな公平で、それぞれの権利を維持してどう生きていくかを考えたとき、実際はどうしたらいいのか。私は理論を話しましたけど、サコさんのおっしゃっていることは重要だと思います。マジョリティ側がしがらみを脱ぎ捨てれば、平等な社会ができる気がしますけれど、社会が言語によって認識されると考えたとき、それは論理的にありうるんだろうかとも思います。人を区分する言葉とか、人のアイデンティティを表す言葉をなくせたら、マジョリティの鎧というか、しがらみは解体できるだろうけど、現実的には難しいですよね。すると、別の言葉に変える、あるいは、別の表現にずらす、という方法しかないんじゃないかと思います。

サコ　構造的差別は、人間にしか存在しないんです。山極壽一さん（霊長類学者）に聞いたのは、動物の世界では群れの特徴とかの区別はあるけど、差別はないと。だから、区別することが問題なのか、区別してからそこへの関わり方に問題があるのか、と考えることも必要だと思います。言葉を持った我々が、言葉を超えた概念をつくるのは難しいかもしれないけど、言葉の前に排除という行為をしてしまうのをどうなくすかが、大きいポイントだと思います。同調圧力によって集団で相手を判断するのではなく、個々人が自分と他人は違うというあたりまえのことを認識すればいいと考えます。認める、認めないとかじゃなくて、認識するだけです。この人と私はお互いのあたりまえが違う、でも同じ社会にいるから、同じ平等な権利があるんだ、と認識すればいいと思います。なのに、なぜか強者のグループが権利を持ち、弱者のグループが権利を持てない、排除される、という構造ができてしまうんですよね。

もう一つ、私が「日本初のアフリカ人学長」と必要以上に騒がれたのも、とても残念に思いました。こんなの珍しくもないと思うんですよね、平等主義社会であれば。でも、それが珍しいと騒ぐ日本は大丈夫かな、と思いました。日本は自由な国と思っていましたが、概念でとどまっているだけだと感じました。日本はこれから嫌でもグローバル社会になりますから、もっと現実的にグローバル化に対応しなければならないし、教育にも組み込む必要があると思います。ところが、20年前から日本で暮らしてきて、より排他的になってきたと感じます。ヘイトスピーチやヘイトクライムも増えています。

山田　サコさんの学長就任にバリューを感じる社会そのものが問題というのは、その通りだと思います。ただ、その状況をみんながふんわり考えるだけでは、状況は変わらなくて、重要なのはその構造を理解することだと思うんです。構造を理解してそこにアクションするときに、講義でもお話ししたように、言葉について考えることが大事です。歴史を振り返っても、重要なタイミングで言葉が変わって差別が解消することがあります。例えば、サンフランシスコにはＧＬＢＴ歴史博物館というのがあります。ＧＬＢＴとは、ゲイ、レズビアン、バイセクシュアル、トランスジェンダーの頭文字をとった言葉です。しかし今ではＬＧＢＴといいますよね。これはＧＬＢＴという言葉が使われるようになったとき、マイノリティの呼称すら男が先なのかという批判があったことで起こった変化です。現在ではセクシュアルマイノリティの呼称はさらに多様化して、アセクシュアル、Ｘジェンダー、パンセクシュアル、クイアなどさまざまなバリエーションがありますし、ＬＧＢＴという言い方にも、ＬＧＢＴＱ、ＬＧＢＴＱ＋などのさまざまな形があります。「人種」や「民族」に関する表現も当事者の異議申し立てによって、言葉が変わり、人々の認識が変わってきました。「看護婦」が「看護師」に変わったり、「チェアマン（議長）」が「チェアパーソン」に変わったりすることには意味があるのです。
サコさんの例でいうと、アフリカ系の人に対するリテラシーが、日本社会はあまりにも低いと思います。そこは変えていかなくてはいけないと思います。だからすぐに「日本初のアフリカ人学長」のような表現が使われたりする。他の外国籍の方に対してもそうです。

サコ　メディアの取材を受けたのは、日本人があまりにもアフリカ系の人に接する機会がないので、あえて社会に訴えかけたほうがいいんじゃないか、特殊な事例として出た方がいいんじゃないかと思ったからです。でも、テレビのテロップには「黒人大学長」と出る。白人だったら「白人大学長」って出ないと思うんですよね。ある意味、日本社会はまだその程度で、それをどう変えていくかというのがあります。
ただ、マジョリティとマイノリティって簡単に二分できるものでもないですよね。

山田　そうです。講義のなかで、社会構造を同心円のイメージで説明しましたけど、円の中心にいた、異性愛で既婚者で正社員の男性という人が、実は人に言えないマイノリティ性を持っていたりするんです。そういう意味では円の真ん中にも端にも同時にいるわけです。一人の人のなかに複数の要素がまたがっているんです。ということは、みんながマイノリティで、みんながマジョリティとも考えられます。だけど、真ん中のマジョリティ要素が多い人と、マイノリティ要素ばっかりの人とがいるわけで、そこを見極めないといけない。そこをきちんと見ないと、社会政策にしても、組織の運営にしても間違うことになります。

サコ　近代社会は管理主義的で、そういうカテゴリー化をしないと管理できないんだと思います。本来はマジョリティもマイノリティもそういうカテゴリーを取っ払えば、みんなそれぞれなんですよ。そのうえでそれぞれが自分のいたい場所を選択できるグルーピングができるのがいいと思いますが、近代はそれでは落ち着かないんです。私は建築や都市計画をやってますけど、とにかく管理なんですよ。建物の大きさとか道路の広さとか、細かい規制がたくさんあって守らなければならない。近代がそういう構造をつくってるんです。

　いろいろ議論をしてきましたけど、多分、特に大学1年生男子のよくある反応は、「結局、オレらが悪いんでしょ」みたいなものなんです。女性差別とか、結局、男側が悪いんだろ、という反応です。これに対してどう答えますか。

山田　よくある反応だし、よくある質問です。これに関しては、私が講義のなかでお話しした「構造」を思い返してほしいと思います。「結局、オレらが悪いんでしょ」と言っているその男性の学生さんが生まれるはるか前から、その「構造」は存在します。そしてその構造は残念ながらかなり女性差別的な構造です。「結局、オレらが悪いんでしょ」と言う前に、その構造を見て「これでいいのかな」と、考えてほしいのです。「あなた」が悪いわけではない。でも、その差別的な構造を理解してもなお、その構造を追認したり黙認したりしたら、それはその差別に加担しているのと同じです。ただ一方で思うのは、「結局、オレらが悪いんでしょ」というその意見もまた重要だということなんですよね。その感覚は確かに存在するのだろうし、そのひと個人のその感覚や感情を否定することは、誰にもできないからです。

一方で、現代の日本社会には明らかな女性差別が存在しています。例えば国権の最高機関である衆議院において、女性（この性別は戸籍上の性別であって自認された性別ではありません）の割合は９・７％です（２０２２年時点のデータ。ちなみにＧ７ではフランスが39・５％、アメリカが27・７％）。また女性専用車両は「男性差別だ」という意見もときどきいただくのですが、２０１９年に「#We Too Japan」が行った調査では「電車やバス、道路などで自分の体を触られた」という経験のある女性は47・９％、男性は８・６％でした。このようなデータを見ると、女性専用車両というシステムが現在の社会の状況にあっては合理的な選択であることが分かります。サコさんがおっしゃるように、昨今のジェンダー平等の社会動向のなかにあって「排除されている」と感じる男性が多くいるのは事実でしょう。また一方で、現在の社会には歴然とした女性差別（男性優位）が存在しているというのもまた事実です。

問題なのは、「結局、オレらが悪いんでしょ」と感じる、その男性の主観的な違和感や、データから読み取れる社会の現状について、冷静に、公平に議論をする場の欠如なのだろうと思います。あるとき、ある男性の学生が「女性と男性が食事に行ったとき、男性が支払いをするのは不公平だ」と言っていたことがありました。もし、そこに違和感を持つのであれば、その「慣例」について、当事者間で話し合いができればよいと思います（お互いの所得を示し合って、どちらが払うかを決めるなどの選択ができるはずです）。問題はおそらくそのような場合の「話し合いのできなさ」「対話の不可能性」にあるのだろうと思います。ジェンダー平等の要諦は「ジェンダー間で、対等で公平で、安全な話し合いができること」です。まずは身近なところからそれを実現してゆくほかありません。大学はそのような「対等で公平で、安全な話し合いができる」場であると思いますし、そうでなければならないと、私は思っています。

「宗教」と自由

第3章

◈ **梶田真章**（法然院貫主）

1956年、浄土宗大本山の黒谷金戒光明寺の塔頭、常光院に生まれる。大阪外国語大学ドイツ語専攻卒業。1984年、法然院の第31代貫主に就任、現在に至る。アーティストの発表やシンポジウムの会場として寺を開放するなど、現代の寺の可能性を追求している。また、環境問題で多くの市民団体と連携するほか、2004年4月～2012年3月までコミュニティFMラジオ「京都三条ラジオカフェ」のトーク番組「京都三条ボンズカフェ」でパーソナリティを務めた。著書に『京都法然院歳時記』（京都書院、共著）、『法然院』（淡交社、共著）、『ありのまま～ていねいに暮らす、楽に生きる。～』（リトルモア）。

自分の人生に意味があると思いたい私たち

人はなぜ宗教を必要とするのでしょうか。それは、人間が人生を意味づけ、納得したい生き物だからです。人間はただ生きているだけではつまらない、私が生きていることにはどういう意味があるのか、ということを常に追求して生きていく生き物です。これが他の生き物と一番違う点です。

人間は体を進化させて、心を持つようになりました。ただ、人類が誕生してから数百万年の間、言葉はありませんでした。言葉なしにコミュニケーションしてきた時期があったわけです。それが８万〜10万年前に言葉ができて、人類は言葉を中心にコミュニケーションを取るようになりました。ただ、言葉に信頼を置きすぎて、私たちは言葉で全てのものが分かると思いすぎています。すると、苦しくなることもあるのです。これが人類のやっかいなところかと思います。

そして、人間は自分が何者であるか、常に自分に語りかけて生きるのも特徴だと思います。「自己のアイデンティティとは、自分が何者であるかを、自己に語って聞かせる説話（ストーリー）である」と、イギリスの精神科医のロナルド・D・レイン（１９２７年〜１９８９年）も指摘しています。自分は何者なのかと自分で描いていく物語、それが我々の人生ということになるんじゃないかと思います。

ですから、宗教を信じるということは、その宗教が説く物語に納得することだと思います。信心とは、現代的にいうと納得であるともいえます。納得するためには、宗教の持つ物語を聞いて、聞いては考えることを繰り返して、納得ができたときに、その宗教が説いている物語に従って人生を生きてみよう、実践してみようと思う。そして、実践が始まって、続いていったときに、これが自分の人生にとって意味があるのだ、と神仏に対する信心が定まる、これが宗教との出合いのプロセスです。当然、一回聞いて一回考えて納得できるようなものではありません。何度も聞いて、何度も考えるわけです。

ただ、多くの人は生きていく意味を自分で持っていますから、宗教が持つ物語をよりどころにしなくても生きていけます。それが普通の人の人生です。自分が信じている物語、つまり、自分がどういう努力をして、どういう結果を出したい、という自分の自由な意思と努力によって自分の未来、自分のあり方を定めることができます。自分を信じて、周りの人を信じて、豊かな人生を生きていけるなら、宗教という昔の人々が考えた物語は要らないと思います。

では、どうして世界中でいろいろな宗教が信じられてきたか、なぜ宗教が人間に必要なのか。それは、人生には自分の思い通りにいかないことがあるからです。自分がやってきた意味づけでは済まないことが人生に起こってくる。こういうときに、昔の人々の説いた物語が、自分の人生に意味を持ってくることがある。そうやって宗教は信じられてきたわけです。

宗教と出合うためには、まず、他人のせいじゃなくて、自分のなかに理由があったと思うことが必要です。自分を見つめ直すことが大事になります。他罰から自罰への転換といえます。自分を見つめ直す「内省」は全ての宗教の出発点です。内省をせず、自分を反省しなければ、宗教とは出合えません。私がこんな目にあっているのはあの人が悪いから、あの人が変わらない限り私は幸せになれない、と考えているなら、宗教との出合いはないと思います。そういう人が必要としているのは「まじない」です。神社に行って、私は変わらないまま、あの人が変わってくれれば幸せになると祈るのは、宗教じゃなくて、まじない的な祈りになります。「まじない」と「宗教」との決定的な違いは、まじないは他人が変わることを願うのに対して、宗教は自己のあり方を問い直すものである点です。

ほとんどの日本人は「先祖教」の信者

宗教を大きく分けると、「創唱《そうしょう》宗教」と「自然宗教」の二つに分類できます。創唱宗教は、教祖がいて、教義があって、聖典があるものです。キリスト教やイスラム教、仏教などです。

一方、自然宗教は自然発生的なもので、教祖や聖典、教団がありません。日本の場合は、いわゆる「先祖教」です。教祖はいませんが、日本人は伝統的にこの先祖教を大事にしてきました。簡単にいうと、亡くなった人が先祖になって私たちを守ってくださる、という考え方です。そのためには、亡くなった人を弔《とむら》わなくてはなりません。祀《まつ》らないと亡くなった方が浮かばれない、というものです。つまり、亡くなった方の幸せは、生きている人間の行為による、という考え方が先祖教の特徴です。

したがって、現代の日本人に信仰している宗教を聞くと、無宗教と答える人が多いですが、それは宗教心がないということにはつながりません。それは特定の神仏を信仰していないという意味であり、無自覚のうちに宗教心があるのが多くの日本人です。その宗教心は伝統的に、年中行事によって培われてきました。初詣《はつもうで》から始まり、節分、彼岸《ひがん》、お祭り、お盆、墓参り、果てはクリスマス、最近はハロウィンまで入りました。特定の神仏を信じて救われるのではなくて、さまざまな人とのつながりで私の暮らしはあります、いろいろな方のおかげさまで私があります、というのが日本人の伝統的な宗教心です。その中心がお寺での法事と神社でのお祭りです。先祖のおかげで、村の鎮守さまのおかげで生きてこられました、という考え方です。

こういった日本人ならではの先祖教が成立したのは、歴史的に見ると室町時代後半で、それまでは多くの日本人が仏教徒でした。

室町時代前半までは、神仏が信じられ、インドで生まれた世界観「六道輪廻《ろくどうりんね》」が信じられていました。私たちは「地獄」「餓鬼《がき》」「畜生《ちくしょう》」「阿修羅《あしゅら》」「人間」「天」の６つの世界を、あらゆる生き物になって巡り続けるというものです。自分の前世は牛だったけど、来世はカエルかもしれないとみんなが信じていました。なぜなら、この世だけでは「因果」が説明できない事態に、人生ではときどき遭遇するからです。私はがんばってきたのに、どうしてこんな目にあうのか。良いことをしてきたのにどうしてうまくいかないのか。こうした人生の不条理を説明しようとインドで生まれたのが「輪廻」という考え方です。私の命はこの世の因果だけで完結しているのではなくて、前世から引きずってきたものがあるというわけです。インドでは自分自身の行い、「業」によって結果が生じ、この世の行いで説明できなかったら、前世の行いによって、この世の報いがあると考えます。これが「輪廻」です。それを信じた日本人は、室町時代前半までは、死後に地獄に落ちないための信心と修行が生活目標で、安らかな来世を願って暮らしていました。

キリスト教では、ひどいことがあれば、それは神が与えた試練であり、幸せを得られれば、それは神の祝福だと信じてきました。前世は信じないで、神さまの意志で人生の不条理を納得しようとしたのがキリスト教的なこの世の受け止め方です。一方、仏教では自分自身の前世の業で人生の不条理を納得してきました。

室町時代以前の日本では、仏さまに祈るのはあの世のこと、死後のことで、この世のことは神さまに祈りました。仏さまと神さまの仕事が分業されていたわけです。ところが室町時代に農業生産が拡大して生活が安定してきて、だんだんと暮らしが豊かになると、この世の人間関係のあり方を追求する儒教が人々の心を捉えて、仏教から儒教へと人気が移り、人間関係における道徳を大事にする流れが生じてきます。そのなかで、この世でもっと幸せになりたいという意識も深まり、仏さまにあの世のことだけでなくこの世のこともお願いしたいと、仏さまにも神さまにもこの世のことを願う人が増えたのが、室町時代後半以降の仏さま・神さまと日本人の関係です。

したがって、極楽往生よりも現世利益を人々が求めるようになりました。阿弥陀《あみだ》さまがいる死後の世界「極楽」で安らかに幸せになる「極楽往生」では、あの世に行ってからじゃないと阿弥陀さまは救ってくれないのか、阿弥陀さまでは頼りない、となり、この世でもっと願いを叶えてくださりそうな観音《かんのん》さまとか、薬師《やくし》如来《にょらい》とか、お地蔵さまなど、いろいろな仏さまの人気が上がってきました。

室町時代後半から農作物の収穫が増大し、生活が安定して家が続くようになります。すると、家を守っていくことが人生の大事なことになってきます。家を守るために大事な宗教が「先祖教」です。亡くなった先祖が私たちを見守ってくださるという先祖教が定着していきました。死者の霊が近くにとどまっていて、ふるさと近くの山の中、海の上、草葉の陰などに、先祖の霊がいると考えられていました。そして死んでもなお、二度、三度生まれ変わって、同じ家業を続けることができると信じられていました。

家が続くと、墓を立てるようになります。亡くなったら西方十万億土《さいほうじゅうまんおくど》の彼方の極楽に行くんじゃなくて、墓の下に眠っている、という感覚になって、今日に至っています。つまり、死んでも墓ごとにあの世があって、先祖になって子孫を見守っていく、というのが先祖教です。こうした先祖教ができあがってきたことを、民俗学者の柳田國男が学問としてまとめています。

そして、先祖と交わる大切な時季がお盆とお正月でした。今は、お正月は違った意味になっていますが、もともとは先祖のエネルギーを賜《たまわ》るときでした。門松は先祖の霊を迎えるためです。数え年というのも、先祖からエネルギーを賜って1月1日に日本人全員が一緒に年を取るわけです。そして、新しい年を生きていくために先祖から賜るエネルギーがお年玉でした。

旧暦の7月7日、今は8月に行うところも多いですが、そのときに先祖を迎えるための習わしが「七夕」です。そして先祖を送るときは、山にいる先祖は「送り火」で山へ送り返し、海にいる先祖は「精霊流し」で海へ送り返すのです。よく墓石に水を手向《たむ》けますが、これは亡くなった方の心をふるさとに結びつけておくためで、もともとはその土地の水を手向けないと意味がありません。エビアンとかボルヴィックなどの外国の水ではダメなのです。

そして、先祖教では三十三回忌を弔い上げといいます。三十三回忌まで遺族が法事を続けるのも、そこまで法事をしないと故人が浮かばれない、そこまでして初めて死者の霊が先祖になるからです。ですから、お葬式から始まって、四十九日、一周忌、三回忌、七回忌、十三回忌、三十三回忌と、寺の役割は法事をすることです。先祖教に親しんでいたから、寺が身近にあったわけです。これによって7万以上の寺が残りました。こうして寺の役割は、先祖教の儀式である法事と現世利益、この世での願いを叶えますよ、という役割になりました。最近では観光だけでなく、霊園、駐車場、幼稚園や介護施設の役割もあります。

一方で、寺で仏教の教えはほとんど説かれなかったので、日本人に仏教徒が少ないのは当然です。日本人の多くは先祖教に親しんで、お寺で法事をするのが日本人の伝統的な寺との付き合い方でした。最近まで家を守ること、地域を守ることが日本人の大事なこととされて、家の宗教は寺が担当し（法事）、地域の宗教は神社が担当して（祭り、初詣など）、法事と祭によって、いろんな人のおかげさまで私は暮らしているという共同体の宗教で、多くの日本人は生きてきました。

しかし、高度経済成長がこの暮らし方をがらりと変えました。同じ土地で家が続かなくなって、家や地域を守ることではなく、自分のため、今の自分の家族のための暮らしになっています。地域の宗教、共同体の宗教ではなくて、私の宗教、私の哲学を求めるのが新たな傾向です。しかし、お寺はその期待に応えられていませんので、いまだに法事をする場所、あるいは観光に行く場所だと思われていますから、お寺で仏教と出合うチャンスが少ないのが現状です。

愛があるから苦しむと説く仏教

改めて、仏教と出合う場所として寺はその役割を果たしていけるのか。私なりに38年、仏教を説いて参りました。ここからは仏教についてお話ししていきたいと思います。

お釈迦《しゃか》さまの教え、それが仏教です。仏さまを崇《あが》めるとともに、私自身も仏になれるという教えです。キリスト教は神さまに仕えるという教えで、私たちが神さまになれるわけではありません。そこが大きな違いです。

お釈迦さまが悟られた真理をサンスクリット語で「ダルマ」といいます。ダルマとは「縁起（因縁生起）」と説明されます。別の言い方をすれば、一切は「空」である、あるいは、それぞれが一切の本性がない、「無自性」である、という言い方をします。いかなる存在も因（原因）と縁（条件）が整うことによって存在しているから、他の存在と無関係に独立して存在することはできない、万物は現象として存在しているが、不変の魂はどこにもない、ということです。私という人間は、今の一瞬、現象としてあるだけで、私の不変の魂はどこにもありません。存在はずっと変わり続けているということです。諸行無常、全てのものは変化していて、少しもとどまらない。諸法無我といって、いかなる存在も永遠不変の実体を有しないということです。

しかし、私たちは「私」という言葉によって、「私」という変わらないものがあるかのように錯覚しています。ある種の言葉の魔力で何かにこだわらせようとします。言葉によってコミュニケーションしているために、言葉によって執着が生じて、苦しみ（煩悩）が生まれます。

その煩悩が消えた状態をニルバーナ（涅槃《ねはん》）といいます。涅槃寂静《じゃくじょう》とは、煩悩を断じた悟りの世界は心の静まった安らぎの境地であるということです。そして、「一切皆苦《いっさいかいく》」とは、一切の現象的存在は全てままならない、ということです。

つまり、一切の存在はままならないのに、人生の苦の原因は何であるか。その原因は私の愛である、というのが仏教です。愛するがゆえに苦しむのです。愛とは自己愛、家族愛、郷土愛、愛国心など、何かに執着する心、それが愛です。愛とは、自分のことも世界のことも、思い通りにしたいということです。でもうまくいかない。すると苦しむわけです。愛は地球を救わない、愛国心が戦争の原因、何かを愛するから苦しみます。だから愛するものから離れる、家族との絆を絶って出家する、それが苦しまない一つの方法だ、というわけです。出家して修行して悟りを目指すのが仏になる道であって、非常に厳しいものです。

すると、それでは出家をする一部の人にしか仏教は意味がないでしょう、となって、新しい考え方をする仏教者のグループができて、在家のままでも仏になれる道があるはずだ、という大乗《だいじよう》仏教が生まれます。

もともとあった根本仏教では、仏さまはお釈迦さま一人だけで、「自業自得」（良いことも悪いことも自分の行いの結果は自分で得る）、自分がお坊さんになって修行するのが仏への道です。一方、大乗仏教は、仏さまには阿弥陀仏《あみだぶつ》とか薬師如来とか観音《かんのん》菩薩《ぼさつ》とか地蔵菩薩とかいろいろいらっしゃって、それぞれの仏さまたちの物語を説く経典ができました。般若経《はんにやきよう》とか華厳経《けごんきよう》とか法華経《ほけきよう》とか無量寿経《むりようじゆきよう》とか、さまざまな経典がまとめられ、たくさん経典ができたために、どの経典が自分に相応しい悟りへの道を説いているのかで分かれたのが宗派です。日本のお坊さんも中国へ修行に行って自分の好きな宗派の経典を持って帰って、多くの宗派が中国から日本に伝えられ、さらにその経典を日本で独自に研究して新しい宗派をつくる。そうして、さまざまな宗派が共存してきたわけです。

自分自身だけの成仏じゃなくて、みんなで仏を目指そうとするのが菩薩の心です。特に阿弥陀仏という仏さまは、一切の生き物を仏にしようとして極楽を構えてくださった仏さまなので、自分自身が修行しなくても「南無阿弥陀仏」を唱えれば、阿弥陀仏から悟りへのエネルギーを回してもらえて極楽に行ける（回向《えこう》）、という考え方です。つまり修行しなくても阿弥陀仏の力をいただくのが「他力本願」です。他力本願は、自分は努力せずに棚からぼた餅を望むというような意味に今はなってますが、本来は、他力とは阿弥陀さまの力という意味です。

８００年前に比叡山天台宗で修行した法然《ほうねん》と弟子の親鸞《しんらん》は、いくら修行しても自分の心が一番不自由でコントロールできない、やっかいなもので、自分の力では成仏できないから、阿弥陀さまの力で成仏させてもらおうとしました。これが他力本願念仏を説く浄土宗です。

いかに悟りを開くのか。自力か他力か、自業自得か回向か、成仏するのはあの世なのか、この世なのか、この組み合わせで宗派が違ってきます。禅宗では座禅をすると自身の内なる仏さまと出会える、だから自分も仏であると確認できるという考えです。みんなで一緒にこの世に浄土をつくろうね、というのが日蓮宗で、「南《な》無《む》妙《みよう》法《ほう》蓮《れん》華《げ》経《きよう》」と唱えます。いろいろな宗派がありますが、どれが正しいかではなく、どの宗派が説く教えが自分に相応しいのかを選ぶのです。今、日本の宗派は仲良く共存していますが、昔は宗派間の争いが絶えなかったのが日本の仏教の悲しい歴史です。自己を正当化したいのが人間です。それが宗教を手段にした戦争につながります。自身の宗教を愛する心が戦争の一因となるのです。

自分は善人か悪人か

平等院や中尊寺は世界遺産になっていますが、これらは貴族が極楽に行くためにお布施《ふせ》をして建てたものです。つまり、平安時代後半はお金持ちしか極楽には行けませんでした。当時の庶民は、そんな余裕はないので殺生に明け暮れて、そんな自分は地獄に行くしかないと思っていました。だから、８００年前の日本人は、自分は悪人であると思っている人がほとんどでした。

ところが、現代は基準が大きく変わりまして、いくら自己中心的な人でも、法律を守っていれば悪人ではありません。自分が善人と思っている人がほとんどです。そして、ほとんどの方は損得で生きています。良いことがあったら「縁があった」と言い、悪いことがあったら「運が悪かった」と言います。自分が悪いとは思っていないのです。出会いは運なのか、(因)縁なのか。誰もが自分の人生のストーリーに意味づけをしたく、しかも自分を善人だと思っていらっしゃいますから、良い人と出会ったのは運命、つまり必然で、悪い人と出会ったのは運が悪かった、つまり偶然だと思いたいという方がほとんどです。私たちは自己中で、損得で生きている愚か者ですから、良いことは自分のせいにしたい、悪いことは他人のせいにしたい、というのが私たちのあり方です。

自分たちは悪人だから、一生「南無阿弥陀仏」と唱えて、死ぬときに阿弥陀さまにお迎えに来ていただこうと説くのが浄土宗です。「南無阿弥陀仏」と唱えさせてもらっている時点で、すでに阿弥陀さまにつかまっていて、往生、成仏を約束してくださっている阿弥陀さまに報恩感謝しましょう、と説くのが浄土真宗です。

哲学と違い、行うことが大事なのが宗教です。行うことと信じることの両輪が宗教です。私も四十数年、南無阿弥陀仏と唱えてきまして、自分のことにはカタがついて、今は一切衆《いっさいしゅ》生《じょう》の成仏を祈って唱えています。今ならウクライナの方やロシアの方に、生きにくい世でしたけれども、最後は阿弥陀さまのところで成仏できたらいいですよね、と悲願を「南無阿弥陀仏」で表明しているわけです。「悲願」は現代の日本では「悲願の金メダル」などといわれ、自分がどうしても達成したい願い、という意味で使われていますが、仏教では本来、他者のことを悲しんで一緒に安らかになろうね、と願うことでした。「本願」ともいいます。

大阪弁でいうと、「私はアホや。あんたもアホや。みんな自己中の集まりだから、こだわってるから、ゆずれないところも出てくるんだよね。人はこだわって愛に生きていく存在なんだよね。そういう私たちを悲しんでくれる阿弥陀仏の浄土があるんだよね。だから人間はみんな自己中でアホやから、一緒に念仏して阿弥陀さまのところで成仏しようね」ということなのです。

私たちは愛と絆に生きています。でも、その愛と絆に疲れて、苦しむ生き物でもあります。だから、寺に行ったり、海や山へ行ったり、美術館に行ったりして、日頃の役割から逃れて、苦しみから逃れようとするのです。分かり合えないのがあたりまえだから怒り合ってもしょうがない、悲しみ合って生きていこう、そういう気持ちで生きていけば、愚か者なりに他人に優しくなれるんじゃないでしょうか。まずは、自分の自己中を認めませんか、というのが、法然や親鸞からの、現代人へのメッセージだと思っています。

仏教ではさまざまな方が自分の心を見つめ、さまざまな宗派ができました。自分の心は自由なのか、不自由なのか。まずはご自身のあり方を問うていただくことによって自分が共感できる教え、物語と出合っていただけるのが、さまざまな宗派を共存させている日本の仏教が世界に誇る価値だと思っています。もちろん、仏教だけでなく、他の宗教が説く物語でもいいのです。私は「自分の心は不自由だと認めることで精神的に自由に生きる」のが、法然・親鸞が説いた他力本願念仏を唱えて生きていくことだと思っています。

梶田真章×サコの議論

サコ　私が日本に来てビックリしたことの一つが日本人の宗教観です。日本人のほとんどが「無宗教です」って言うけど、私から見たら、一日中、超宗教的な生活をしているように見えるんです。食事のときは「いただきます」って手を合わせるし、家に入るときは靴を脱いで「お邪魔します」と言う。どちらももともとは宗教的な意味があったけど、もう習慣になっていて、宗教を意識せずに日常的な文化として浸透しているんですね。

私の名前の「ウスビ」というのは、おじいさんと同じ名前です。だから、悪いことをすると、「おじいさんらしくない」と怒られます。私の長男は、私の父と同じ名前です。名前で共同体の命を受け継ぐという考えがあって、命が個人のものじゃなくて、共同体をつなぐポイントとして見られるのです。日本は個人そのものを主体として命が与えられる感じですが、マリでは共同体の借り物として命が存在しています。アニミズム的な背景があって、全ての動植物とのより良い共存関係が大事で、そのために儀式もします。だからマリでは人が死ぬと「魂を返す」という言葉が使われて、人間の魂が動物にもなるし、動物の魂が人間にもなると考えます。そこに日本と共通するものがあるから、私は日本に住んでも気持ちが落ち着く感じがあるんじゃないかと思います。だから日本とマリで宗教が違っても、目指すものは一緒で、一神教のキリスト教やイスラム教とは違うと思うんです。

梶田　日本でも、昔の先祖教では、子どもが生まれると、ひいおじいさんの生まれ変わりなどと考えました。同じ家のなかで命が循環している、つながっていく、という考え方です。今はそれが崩れてきましたから、違った考えの方も多いと思います。

サコ　宗教というと構えすぎてしまいますが、信じるという意味では、マンガとかアニメとか、ある意味、趣味にハマることも、宗教の一環で自然崇拝なんじゃないかと思います。マリでも元来はフェティッシュ（呪物崇拝）、自然崇拝で、全ての動植物に魂があると考えますけど、このアニメ、このキャラクターが好き、っていうのも同じ面があると思います。

梶田　今の日本語の「宗教」という言葉が、特定の神を信じるものと思い込みすぎています。それで無宗教と答えるわけです。でも、なんとなく信じているアニミズムや、自分がこだわっているもの、好きなキャラクターとかアイドルとかとの付き合い方のなかに、私の宗教というものがあるんだ、というふうに考えていくと、もっと宗教に対する考え方が広がると思います。教祖のいない宗教もあるんです。

サコ マリと日本の両方に住んでみて、宗教って、コミュニティのものだなと思います。どれだけ信じているかは別にして、人々のつながりの場、人々の結びつきだと思うんです。例えば、同じ寺の檀家さんは地域に根差したコミュニティでもあります。マリでも家の代々で同じモスクに行くし、地域の人々が集まります。

梶田 まさにそうですね。神社が果たしてきた役割で、初詣はみんなで年越しできたのを祝うものでした。地域の天下泰平と五穀豊穣を願い、みんなでその場を共有して支え合って生きていこうとするものでした。それが、今では神社が少なくなり、地元ではない大きな神社で、自分個人の願いを祈るといういびつな形になっています。

サコ 最後に、神社とお寺の違いは何でしょうか。

梶田 神社の役割は、地域でみんなが助け合う核の場所として、畏《おそ》れ敬う気持ちと感謝の念を培う場です。お祭りや初詣などの行事で培っていきます。それに対して、寺は本来、自分の心のよりどころをそれぞれが求めるところで、仏の教えと出合うところです。それが日本では歴史的に家を守るための宗教である先祖教の儀式を行うという役割を担っていて、個人が生きるよりどころを求める場所ではなくなってしまっています。だから、現代に合わせて見直していった方がいいんじゃないか、と私は考えています。

「マンガ」「芸術」と自由

第4章

◈ **吉村和真**（京都精華大学マンガ学部教授）

1971年生まれ。専門は思想史・マンガ研究。同大学国際マンガ研究センター長、日本マンガ学会理事などを歴任。京都国際マンガミュージアムの開館から運営に携わる。主な業績に『差別と向き合うマンガたち』（共著、2007年、臨川書店）、『基本の30冊　マンガ・スタディーズ』（編著、2020年、人文書院）、『マンガノミカタ　創作者と研究者による新たなアプローチ』（共著、2021年、樹村房）など。

◈ **安田昌弘**（京都精華大学メディア表現学部教授）

1967年生まれ。文筆家、研究者。専門は比較文化論、ポピュラー音楽研究、グローバライゼーションとローカライゼーション、都市空間とメディア空間の相関など。パリと東京のヒップホップ文化や京都のブルースについてフィールドワークを重ねる。共著に『The International Recording Industries』（2012年、Routledge）、『私たちは洋楽とどう向き合ってきたのかー日本ポピュラー音楽の洋楽受容史』（2019年、花伝社）など。

マンガと自由

吉村　マンガにはステレオタイプや偏見の要素が複雑に絡み合っています。

映画もそうです。最近では、映画の出演俳優の人種に多様性があるかどうか話題になることが散見されます。例えば、映画『００７／ノー・タイム・トゥ・ダイ』は、シリーズ25作目の最新作ですが、黒人女優が００７役に選ばれました。今まで白人男性が主役だったのが、人種の多様性に配慮したところ、賛否両論の反応が多数あったことをマスコミが取り上げています。

一方、日本の俳優がハリウッド映画に出演する場合、分かりやすい日本人像として、ステレオタイプ的な配役がしばしばなされます。寿司職人、日本兵、サラリーマンなどが多いです。これに対し、わかりやすさを優先するあまり、俳優本人の個性をなくしたり、ステレオタイプを助長したりするんじゃないかという批判があります。

マンガと人種描写の複雑な関係

マンガには映画と違って、マンガならではの人種や国民に関する問題があります。簡単にいえば、マンガは誇張・省略・変形などのデフォルメを基調としているので、映像や写真よりも、登場人物のステレオタイプやそれぞれの差異がよりわかりやすく強調されるのです。マンガのステレオタイプに関してよく取り上げられるのが、黒人描写問題です。特に大きな動きとなったのが、アメリカの有力紙、ワシントンポストの１９８８年7月22日付の記事です。「黒い肌、大きな目、分厚い唇、腰みの、耳飾りをつけた黒人の古いステレオタイプが日本のマンガやアニメに登場する」と、日本で黒人差別的な表現が横行していると報じて、アメリカの日本大使館に抗議が殺到しました。

当時は「ダッコちゃん人形」というビニール人形がブームになっていました。１９６０年に宝ビニール工業所（後のタカラトミー）が製造したビニール製の空気で膨らませる人形で、腕などに抱きつけてぶら下げるのが大ブームになり、80年代にも再ブームになっていました。黒いビニール生地で、腰みの、大きな目、大きな唇とデフォルメされた人形で、ワシントンポストに報道された年には製造停止しました。

大阪ではある家族が「黒人差別をなくす会」を結成し、絵本『ちびくろ・さんぼ』（岩波書店）の絶版や、黒人男性のイラストを用いていたカルピスの商標の変更などを求めました。これにより、表現規制、自主規制が進むことになります。各出版社が黒人が描かれている作品に対して抗議を受けて、一時は３００冊以上の出版が一時停止に追い込まれました。その流れは手塚治虫の『ジャングル大帝』にも波及しました。それ以後、手塚プロダクションは「読者の皆様へ」という釈明文を単行本に掲載することになります。なお、『ちびくろ・さんぼ』もいったん絶版に追い込まれましたが、現在では瑞雲舎などから復刊しています。

こうしたマンガにおけるステレオタイプ的な黒人描写への批判、あるいは「人種」そのものの表現のあり方を考えるために、みなさんに紹介したいのが、手塚治虫『ジョーを訪ねた男』（秋田書店『プレイコミック』1968年9月25日号掲載）という短編作品です。

この作品は、ベトナム戦争の時代が舞台で、軍人であるオハラという白人の男が、ジョーという自分の部下である黒人兵士の実家を探すところから始まります。貧民街にあるその実家に辿り着き、オハラが自分とジョーの関係を説明し終えると、病床に伏していたジョーの母親は「あなただったのですか…ジョーが心臓を差し上げた方というのは…」「おねがいです音をせめて聞かせてください」とオハラに懇願します。実はオハラは人種差別主義者であり、戦地でも黒人兵士らに非道な暴言を吐き続けていたのですが、二人とも被弾して瀕死の重傷を負ってしまいます。そして、何とか手術が成功してオハラは生還するのですが、傍で死んだジョーからの臓器移植によって自分の命が助かったという事実を知ったとき、彼は感謝どころか体内に黒人の臓器が入ったことに悲嘆し、絶望します。

オハラがジョーの実家を訪ね歩いていたのは、その経緯が書かれた手紙をジョーの家族から奪い取り、自分の体内に黒人の血が入っている事実をもみ消そうとしたからでした。しかし、そうしたオハラの高圧的な言動に対し、母親の看病に来ていた黒人たちはこう言い放ちます。「もうおそいよ、だんな」「おれたちは何万人も血を国に売ったんだ　その血が戦場や病院で　どんどん白人に輸血されてるんだ」「え　だんな　あれは黒人の血なんだぜ!」と。

考えてみれば当然の事実に気がつかず、開いた口が塞がらないオハラは、肩を落としてその場を立ち去ろうとします。あるいは、読者であるみなさんも、この場面にはハッとさせられたかもしれませんね。ところが、ふと踵《きびす》を返してジョーのお母さんに自分の胸を近づけ、「さあ、ここにジョーがいるぞ」と手を触れさせるのです。つまり、自分の凝り固まった人種差別の虚《むな》しさを痛感し、改心したわけです。しかしやるせないことに、家を出たオハラは外で待ち伏せしていた別の黒人らに射殺されてしまいます。心臓を撃たれて倒れた彼を目の前に、「ジョー!」というお母さんの叫び声が響いて物語は終わります。

これは１９６８年の作品で、ベトナム戦争が起きていた当時の黒人差別に対する批判を明確にメッセージとして持っていますが、現在でもブラック・ライブズ・マター運動が示すように、黒人差別や人種問題にまつわる抑圧は繰り返されています。

さて、私たちは、このマンガに登場する「黒人」の描写がステレオタイプだからといって、それ自体を批判するのか。それともこうしたステレオタイプを用いることで、「黒人」「白人」「日本人」といった人種や国民の役割を描き分け、結果的に黒人差別をしてはならないというメッセージがわかりやすく伝わることを評価するのか。マンガを読むということは、すでに身体化されている、私たちのマンガリテラシーや思想、価値観、感性などに関わる問題です。今回の授業のテーマである「表現の自由」や「誤読の自由」に結びつけると、何が描かれているかだけでなく、その表現をどのように解釈するかも含め、ステレオタイプや偏見の問題にもっと本質的に迫る必要があると思います。

そのためには、そもそも「人種」とは、「黒人」とは何者なのかを問うところから始めるべきでしょう。日本に「人種」の概念を普及させるうえで大きな影響を持ったとされるのが、福沢諭吉が翻訳した『掌中万国一覧』（１８６９年）という冊子です。そのなかで、そもそも「人種」というのは、「白皙《はくせき》人種（主にヨーロッパに居住）」「黄色人種（主にアジアに居住）」「赤色人種（主にアメリカの先住民）」「黒色人種（主にアフリカに居住）」「茶色人種（諸島に居住）」の五つに分類されると紹介しています。そのうえで、「黒色人種」の特徴を「皮膚の色黒く捲髪《まきがみ》羊毛を束ねたるが如く、（略）鼻平く、眼大にして突出し、口大にして唇厚し」と説明しているのですが、それを絵にすると、現在のマンガの黒人描写に近くなることが分かると思います。また、「黒色人種」は「其身体強壮にして活発にことをなすべしと雖《いえ》ども、性質懶惰《らんだ》にして開化進歩の味を知らず」とも述べられています。この外面的特徴と内面的性格とを結びつける形で紹介している点は「白皙人種」や「黄色人種」でも同じです。

要するに「人種」という概念は、日本ではこの１５０年ほどの間に普及したことになりますが、見逃せないのは、外見の美醜や文明の高低において「白皙人種」を最上に位置づけ、それ以外の人種を序列化している点です。つまり、その始まりから、ステレオタイプや偏見、差別の要素を内包していたことになります。マンガの黒人描写に限らず、「人種」をどのように表現し、解釈するかというのは、まさに近代の問題なのです。

マンガはステレオタイプなしでは成り立たない

ここで、ステレオタイプと偏見と差別の区分について説明しておきます。これらを混同してしまうと、「何でも差別」みたいになってしまいますので注意しましょう。

端的にいえば、ステレオタイプ（固定観念）とは認識の問題で、偏見は感情の問題、差別は行為の問題です。例えば「男性は論理的で屁理屈、女性は感覚的で感情的」というステレオタイプがある場合、「女性は感覚的に判断しがちなので地図が読めない」となると偏見です。もちろん男性でも地図が苦手な人もいます。そして「女性は地図が読めないのでうちの会社では雇わない」という行為に結びつくと、これは差別になります。

この区分に基づくと、マンガはステレオタイプや偏見の要素がなければ成立しないといえます。マンガの登場人物にはステレオタイプを用いた配役がなされていて、パッと見たときに、主役っぽいなとか、悪役っぽいなとかわかるようになっています。恋愛マンガなら、この人とこの人が両想いになりそうだなとか、スポーツマンガなら、この人が主人公のライバルになりそうだなとか、一目で登場人物の役割や性格まで読み込んでいるはずです。だからこそ違和感なく物語に没入できたり、ときにはそのイメージを裏切ることでドラマが生じたりすることもあります。そう考えたとき、今回の授業で問いかけたいのは、ステレオタイプや偏見なしには成立しないマンガという表現において、果たして私たちは「自由」に読んだり描いたりできるのか、ということです。

そもそも、私たちはステレオタイプのない世界に脱出することはできません。というのも、ステレオタイプがなくなると物事の認識や分類が困難になるので、すぐに別のステレオタイプを必要とするからです。ただし、ステレオタイプをなくすことはできないけれど、更新することはできます。今あるステレオタイプの来歴や影響を知ることで、より良いステレオタイプに変えていくことは可能です。そのためには、例えば今日のテーマのように、「黒人」のステレオタイプがいつ頃発生し、どのように広がっていったのかを知り、「黒人」だけでなく「白人」や「日本人」のステレオタイプだってあるんじゃないかと問いを広げることによって、既存の「人種」描写を適切に使い分けたり、より良いステレオタイプに変えたりしながら、具体的で生産的な議論を持続することが大切です。

ステレオタイプがあるからすぐにこのマンガはダメだとか、黒人を登場させるならあの描写は禁じるべきだとか、自主規制すれば済むというような思考停止状態に陥る前に、私たちは、例えば「表現の自由」というテーマも視野に入れ、描き手や読み手をはじめ、いろんな立場から開かれた議論を積み重ねる必要があると、最後に問題提起したいと思います。

吉村和真×サコの議論

サコ　これは認識論の問題でもあると思います。ステレオタイプを前提にして作品をつくるのか、ステレオタイプを知らなくても、ステレオタイプ的な結果になってしまう、というのもあると思います。例えば、差別を題材にする映画なら、差別のシーンがなくては、話が成り立ちません。差別を学ぶ、差別に気づくことによって、差別を考えることになります。マンガなど作品をつくる人たちに気づいてほしいのは、ステレオタイプを作品のなかで使いながらも、みんな違ってあたりまえで、違うことによるアドバンテージもあるし、多様性を重んじていこう、ということです。ステレオタイプを正当化するというより、ステレオタイプにより課題が見えてくることもあります。

吉村　そうですね。一例をあげると、少女マンガの登場人物たちは「白人」的な顔立ちや身体で描かれることが多いのですが、モノクロの絵で描かれていても金髪として認識して読んだりします。そうしたステレオタイプをうまく逆手にとって人気が出たのが、『俺物語!!』（『別冊マーガレット』２０１２年〜２０１６年）です。主人公の剛田猛男は、これまでの少女マンガのヒーロー像とは程遠い髪型や体格をしています。『こちら葛飾区亀有公園前派出所』

の両さんが大きくなったような顔なんです。そういう「型破り」な男性像も含め、いまサコさんの言われたような「気づき」が、マンガの表現やメッセージには込められていると思います。それを自覚することは、私たちがマンガを描いたり読んだりするときの武器になるはずです。知らないまま流してしまうのか、自覚して向き合えるかで、その表現も解釈も大きく変わると思います。

＊　＊　＊

幸せとはレゾナンツ

安田　自由について語るうえで、考えたいのが、不幸せな自由とは可能だろうか、という問題です。直感的に自由とは幸福感と密接に結びついています。日本国憲法の13条でも「生命、自由及び幸福追求に対する国民の権利」とあるし、アメリカの独立宣言でも「生命、自由、そして幸福の追求」と掲げられています。

では、幸せの反対の概念は何かというと、「疎外」です。幸せとは自分の行為と行為対象が響き合う（レゾナンツ）関係にあることだと、ドイツの社会学者ハルトムート・ローザが

『レゾナンツ——世界との関係の社会学』（２０１９年、未邦訳）のなかで、指摘しています。人は横の関係（ヒトとヒト）、縦の関係（ヒトと世界・自然など）、斜めの関係（ヒトとモノ、ペンや楽器など）と響き合うこと、共鳴したり感動したりすることで、自己効力感を感じ、幸せを感じます。天気がいいから散歩したら気持ち良かったとか、苗から育てて花が咲いたとか、それは自然と自分が共鳴しているのです。ペンが書きやすくて気持ちいい、とか、弦を弾いていい音色が出たとか、そういった、モノとの共鳴もあります。

しかし、自分が何かしても誰も何も響き合ってくれない場合は、疎外されている状態です。すると、精神的に追い詰められてきます。そういう人が今、増えています。現代では世界が響き返してくれなくなっているからです。

もともと人間は自分の力でいろいろなものと共鳴できる存在でした。しかし、この２００年くらいの間に、人間の能力を超えた力が出現して、人間を疎外するようになりました。「産業革命」が起きて、技術革新による利益の最大化こそが正義となり、「効率主義」になって、個別の事情より全体の調和を優先し、大量生産が人類を救うという価値観になりました。さらに、「加速主義」で、同じことはできるだけ速くできた方がいいという風潮になっています。社会を安定させるには、常により多く作ってより多く売って経済を成長させなければならない。「動的安定化」とローザは言っています。例をあげると、昔はリペアしながら何年も同じ服を着ていたのに、19世紀後半になると、春夏、秋冬と年2回のコレクションで流行《モード》を変えるようになり、最近では4週間ごとに新しいTシャツを売り出さなければいけなくなっています。こうした変化の速い社会についていけない人が増えているのです。

人類が誕生してから、社会は三つのフェーズで変化してきました。一つ目は、10万年前から1万年前までのフェーズです。狩猟採集の生活から、農耕が始まって定住し、都市に人が集まり始めて、文明文化ができてきました。この頃までは、人間のリズムは動物の生きるリズムとか植物の生きるリズムと共生していたと、いえると思います。

二つ目のフェーズは、５００年くらい前から50年前で、近代化が始まり、大きく世界が変わります。大航海時代によって、全世界が西洋化し、西洋の植民地と化します。科学技術による産業革命と、化石燃料によるエネルギー革命により、ヒトとモノの移動や変化のスピードが加速します。もはや自然のペースとは関係なく、人間にとって都合のいいスピードで世界が動くようになっていきました。貨幣を媒介とした経済活動が地球規模化し、人間がお金で束ねられる一本化も起こりました。その反発としての国粋主義が戦争で、二度の世界大戦を引き起こしました。

そして、三つ目のフェーズが現代です。ベルリンの壁が崩壊して、冷戦状態が雪解けし、情報通信技術が急速に発達して、ヒトやモノの移動のスピードはさらに加速しています。もはや国の枠組みを超えたところでモノが動く、自由主義的貿易が拡大し、富める人はより富み、貧しい人はより貧しくなる状態です。

私たちを追い詰めている現代の危機

その現代には三つの危機があります。一つ目は、生存環境の危機です。物質的な豊かさを追求した結果、私たちは自分たちでも制御できない科学や技術に振り回されるようになり、自分たちが生きていくのに必要な環境を破壊しています。

二つ目は、社会・経済的編成に関する危機です。お金にならないものは考えなくてもいいという価値観が普遍化し、雇用も流動化し、要らなくなればすぐに企業から解雇されてしまいます。世界の富裕層トップ62人の資産が、世界の人口の下位半分の36億人が所有する財産に匹敵します。こうした貧富の差が、急進主義、原理主義、テロなどを引き起こしています。

三つ目は、個人の精神的危機です。現代人は常に競争にさらされ、他人と比べられています。雇用と収入は不安定で、世界の変化が早すぎて追いついていけず、人付き合いや趣味にじっくりと費やす時間がつくれない状況です。少数民族や性的少数者などのマイノリティの声も、市場価値がない限りはなかったことにされてしまいます。すると一人ひとりの自己否定、無力感、疎外感、精神疾患につながっていきます。

近代アートの欺瞞《ぎまん》

こうした危機は、近代アートにも影響を及ぼしています。本来、芸術・アートとは、人と響き合うものです。アートは社会構造を変えるほどの影響力を持つともいわれてきました。しかし、実際のアートは市場のロジックに抜き差し難く組み込まれているようです。そこではどんどん新しい作品や流派が誕生し、アート市場を成長させていて、結局は資本主義社会の「動的安定化」と同じ状況になっているのです。新しいアーティストが出てきて、新しい作品が出てきて、中身がいろいろ入れ替わるけども、社会や市場の構造は全然変わっていない。これはアートの欺瞞ではないかというわけです。

フランスの社会学者、ピエール・ブルデューによれば、近代アートを生み出す市場の仕組みとして、まず商業芸術と純粋芸術の対立があります。

商業芸術においては、大量生産技術を活用した収益最大化が最終目的ですから、作者の意図よりもすぐにお金になることの方が大事です。ここで生み出されるのはわかりやすい、逆にいえば深みのない芸術です。

一方、純粋芸術とは、一点もので、作家性や自己表現が大事にされます。難解な作品も多く、知識と教養がないと理解できない世界です。世界に認知されると、美術館に所蔵されたりします。しかし、この純粋芸術も市場のロジックと全く関係ないわけではなく、売れると後々、大金に化けることがあります。また、こうした「とんがった」アートも、時代とともに認知が広がると、ピカソやサティのように、商業芸術に組み込まれていきます。

そうすると、商業芸術と純粋芸術の対立に加えて、今度は純粋芸術の内側で、認められた純粋芸術とそれを否定する純粋芸術の対立が生まれます。つまり、「認知された芸術なんて、芸術じゃない」という反発が起こって、若く新しい実験芸術が出てくるのです。しかし、時間とともに認知され馴化《じゅんか》されると、それもまた商業芸術に組み込まれていきます。するとさらに、それに反発した新しい実験芸術が出てきます。これが繰り返されるのが近代アート市場の仕組みです。つまり、これが繰り返されればされるほど、芸術は自律性を高めて、その内側で動的に競争を続け、市場を拡大することで、芸術は芸術たり得ている、ということになります。もちろん、こうしたアートビジネスに対する反発も、アーティスト側から出てきてはいます。バンクシーがオークションで自作をシュレッダーにかけた事件（※１）などは代表的な例です。ただ、それさえも、またさらに値段がついていきます。

自律性を高めるアート市場のなかでは、アートは常により高度でより自由な表現に近づいているという直線的な時間感覚があるので、新しいものの方が価値が高く見えます。しかし実際には同じところをグルグルと回っているような、円環的な運動をしているのです。

ここで問題になるのが、アートが自律性を高めているために、その外側にある人間や環境や世界との響き合いが薄れていくことです。

例えば、芸術のつくり手と受け手が完全分業になり、選ばれた人しかアートがつくれない状況になっています。また、アートが投資の対象になっていって、作品と人が響き合う必要がなくなってきているという問題もあります。アートが社会的武器化しているという指摘もあります。アートがわかる自分とわからない一般人、というような分断を生み、アートがわかるには教養と知識が必要で、わかる人しかわからない、響き合えないという構図を生みます。さらに、アートが人間中心主義的になり、環境や世界と響き合うことが少なくなっています。人間が構築した価値観、つまり文化を自律化、絶対化して、ヒト以外のモノの意識を顧みなくなっています。

結局、近代アートは人間中心の文化活動であり、人が響き合える対象を狭めてしかいないのではないか、という疑問があります。

では、アートやデザインに何ができるのでしょうか。いくつか提案があります。

私からの最初の提案は、人間中心主義をやめることです。世の中に存在するもののほとんどは、人間の生きるリズムとは違うリズムで生きています。人間の尺度では測れない時間性や空間性で生きるものを尊重することです。人間が自然を利用するのではなく、共存していくことです。

そして、「流行《モード》のカルト」から抜け出すことです。ファッション界では、どんどん新しい流行をつくって、新しい服を売って、それで経済成長しています。そしてこれはファッションだけの問題ではありません。車も、音楽も、スマホも、モノが分解する速度と生産・消費する速度のバランスが取れていません。そのバランスを同じに近づける必要があります。

「加速化」と折り合いをつけることも大事です。多様性や民主主義を大事にするには、さまざまなヒトや、場合によってはモノの意見を聞いて意思決定しなければいけませんから、たくさんの時間が必要です。今は何でもかんでも5分で決めてください、みたいに近眼的な即決が求められますが、時間をケチらずに用意することが大事です。そういうことに気づくデザイン（仕組み）をつくることも考えられます。

つくり手と受け手に分かれるのではなく、みんなで「コレクティブ」につくるというのも大事です。つくる楽しみ、つまり素材や道具との響き合いを独り占めするのではなく、大勢と共有することです。

最後に「文化」というのをやめることです。競争や比較の道具としてのアートや教養から、自己効力感の経験を促すアートや教養に変えていくことです。ヒトがヒトや世界やモノと響き合える体験を促すようなアートに変えることです。

安田昌弘×吉村和真×サコの議論

サコ　安田先生が言った「コレクティブ」を、私は「コモンズ」と表現しています。自分が当事者になって、当事者同士をつなげていく、それが重要だと思うんですね。人間中心主義をやめるというのは、画期的な提案です。吉村先生の話にもつながりますが、今、国が「クールジャパン」を標語にして日本文化を世界へ発信していこうとしていますが、じゃあ何を売り出すかといったら、アニメです。アニメで日本が世界と響き合えると言ってるわけですね。一方で、エジプトで行われたＣＯＰ27（※2）では、人間が中心になって人間がソリューションをつくっていく、２０５０年にゼロ・エミッション（※3）を達成しよう、そうじゃないと地球はアウトだと言ってるわけです。私も会議に参加して、会場へ車で行ったのですが、帰りは歩いて帰ろうかと思いました。でも、車に乗ることもやめられない。ではこうした人間的欲望をどうすればいいか。人間社会ができて、技術によってどんどん便利になって、楽しめる文化や娯楽とかがあるなかで、どれをやめるとか、やめないとかじゃなくて、なぜそれが過剰になってしまったのか、考えることが大事だと思います。私たちが娯楽として作ったマンガが、どうして差別の道具になったのかとか、表現のことも、それ以外のことも、どうしたらより良い社会をつくれるか、考えることが大事だと思います。

吉村　私はステレオタイプや偏見は避けられないということについて話しましたが、決して悲観的ではありません。表現またはコミュニケーションツールとしてのマンガが持つ可能性は大きいと思っています。すでにマンガは国際的にかなり浸透しています。とりわけ近年では、オンラインでマンガは簡単に国境を越えています。今後は作者も読者も巻き込んで新しい秩序ができてくるでしょう。そのとき、ステレオタイプや偏見の問題にいっそう多様な観点から向き合う必要も出てくるはずですが、その来歴や影響力などをあらかじめ知っておくと大きな武器になります。それを自覚できるかどうか、問題提起したつもりです。

安田　「過剰」の背景には、やはり、近代資本主義がけしかけてくる過剰な競争があると思います。マンガやポピュラー音楽では、感覚的な刺激の競り上げが加速化しています。みんなすぐ飽きちゃうから、もっと強烈な色を使ったり、もっと動き回ったり、もっと際《きわ》どい表現をしたり、もっと音圧を上げたりして刺激を強くしていかないと、誰も振り向いてくれなくなる。アテンション・エコノミーというか。そして、そういう強い刺激があたりまえになると、繊細な刺激に対する感覚が麻痺してきます。もちろん、みんなが楽しんでいることをいきなりやめさせても、それこそ自由を奪うことになると思うし、誰も幸せにはならないでしょう。でも、そろそろ我々は「ほどほど」を楽しむ、ということを考えてもよいのかもしれません。そういう価値観は、我々の身の回りや、世界の他の部分で、顧みられなくなってしまった風習に目を向けてみたりすると、実はそんなに奇妙なものではないんです。そういうものを見つけて、自分の生活に取り入れることを楽しめるようになると、とても良いかな、と思いますね。

※１　**バンクシーの作品「少女と風船」**　２０１８年のサザビーズのオークションで、約１００万ポンド（約１億５０００万円）で落札された瞬間、額縁の下部に仕掛けられていたシュレッダーが作動して裁断され、途中で止まった状態になった。バンクシーによる、投機対象として金だけが積まれていくオークション・ビジネスへの批判だといわれたが、皮肉にも、オークション後、「愛はゴミ箱の中に」というタイトルに改められ、事件によって市場価値は倍以上に跳ね上がった。

※２　**ＣＯＰ（国連気候変動枠組条約締約国会議）**　第27回の会議が、２０２２年11月にエジプトのシャルム・エル・シェイクで開催された。地球温暖化を防ぐ枠組みについて議論するもの。世界の平均気温上昇を２０３０年までに産業革命以前に比べて１・５度に抑えるという「パリ協定」をどう達成するか話し合われた。日本は気候変動への取り組みが後退していると皮肉った「化石賞」を3回連続で受賞する結果になった。

※３　**ゼロ・エミッション**　環境を汚染したり、気温を上昇させたりする廃棄物を排出しないエンジン、モーター、またはその仕組みをいう。ある産業の廃棄物を別の産業において有効利用し、社会全体で資源を循環させて、二酸化炭素などを排出しない仕組み。人間の活動から発生する排出物を限りなくゼロに近づけ、持続可能な社会システムの構築を目指す、日本発のコンセプト。

「表現」と自由

第5章

◈ **稲賀繁美**（京都精華大学国際文化学・元学部長）

1957年生まれ。比較文学比較文化、文化交流史の研究者。東京大学、同大学院卒、フランス政府給費留学生・パリ第7大学博士号。三重大学助教授、国際日本文化研究センター・総合研究大学院大学教授を経て、現職。著書『絵画の黄昏　エドゥアール・マネ没後の闘争』（1997年、名古屋大学出版会）でサントリー学芸賞、渋沢・クローデル賞特別賞他を受賞。

表現におけるステレオタイプ

今回は、「表現」と自由、あるいはそこに前提として潜んでいる「模倣する自由」について考えていきたいと思います。似顔絵、カリカチュア、パロディといった、本人・本物があるものに対して、どこまで表現することが自由なのか、という問題です。

似顔絵のときに問題にあがるのが、ステレオタイプです。例をあげると、大学の学食で、「サコ先生おすすめ定食」と表示するのに、サコ先生の似顔絵が掲示されました。でも、サコ先生から「全く私に似ていない、単なる黒人のステレオタイプだ」と指摘がありました。私は異文化交流が専門ですので、ステレオタイプとは何か、ここから考えてみたいと思います。

ステレオタイプとは認識の問題です。似ている、似ていない、サコさんだと分かる、いやこれでは分からない、これなら理解できる、これでは理解できない、というレベルです。しかし、人間には感情がありますから、そのステレオタイプの認識がフィルターとなって、感情に結びつきます。すると、分かるものはいいけど、分からないものは嫌い、という好き嫌いの感情になってしまいます。そして、それは簡単に良し悪し、善悪にくっつきます。分かるものは正しい、分からないものは正しくない。これらが全部癒着してしまうのが問題です。

そして、正しいものは生かしてあげよう、正しくないものは殺してしまおう、というところまで暴走することもあります。本来は、認識、感情、行為は別々のものなのに、癒着してしまうのが危ないのです。

　第4章で吉村先生が紹介した手塚治虫の『ジョーを訪ねた男』は、いま見たような短絡がどう発生するかを描いていて、大変な名作です。黒人のステレオタイプを巧みに利用して、人種差別の欺瞞とそこに隠された心理とを見事に暴き出した短編です。

　少し飛躍しますが、ハリウッド映画にどうしてスペース・オペラものが多いのかおわかりですか。『スタートレック』とか、『スター・ウォーズ』や『E.T.』とか、宇宙人を題材にした映画のことです。なぜあんなにたくさんあるのでしょうか。実は、黒人、白人、黄色人といった「人種」が違うけど分かり合おう、という物語でないとポリティカル・コレクトネスに合格しないんですね。宇宙人という設定にすると、悪玉にしたり、善玉にしたり、仲良くしたり、いろいろと操作できるのです。まさに、理解できない人をどう理解するか、というテーマが「宇宙人」を題材にすると、「人種問題」をうまく回避して「表現」できる。

　ところで、現在はタイパ（タイムパフォーマンス）が横行して、映画を勝手に縮めた「ファスト映画」が流行っています。視聴者は人気の映画やドラマの話題に乗るために、ネタバレ部分を集めたファスト映画を見るわけです。これは一種の複製ですけど、海賊行為、法律違反で、逮捕されて裁判になる可能性もあります。2022年には、権利侵害だとして、配信者が数億円の罰金を払わなければならない訴訟事件が発生しました。

盗作と翻訳が起こす問題

手塚治虫さんが晩年にパリで講演を行ったとき（1985年7月）、私もパリにいたのでお手伝いしたことがあるのですが、「自分の作品の海賊版がたくさん出回っている」と、講演の席で大変怒った発言をあえてなさいました。当時は日本の文化産業が無断で盗用され放題でした。イタリアから入って、ヨーロッパ中に広まっていたのです。

日本のマンガやアニメでは、女の子の髪はモノクロ版だと白で表現されるので、ヨーロッパの人から見たら、金髪と思うわけです。主人公を白人だと思っていて、日本人だとは思わないんですね。コマに漢字が書いてあっても、ヨーロッパ人は漢字を知らないから、その作品が描かれたのが日本どころか、東洋ということすら分からない。だから80年代に日本アニメはヨーロッパ中に広まりました。当時は盗用し放題です。でも、手塚さん自身はパクリとは無縁かといったら、彼はハリウッドやディズニーの大ファンだから、それを使っている。

お互いに貸し合いっこしているわけです。ディズニーの『ライオン・キング』（１９９４年）はミュージカルにもなって大人気ですが、原型が手塚さんの『ジャングル大帝』（１９６６年）であることは有名な話です。

手塚治虫さんのマンガ『ブッダ』は世界中で読まれていますが、日本のマンガの右ページから左ページへ読むというスタイルが最近まで欧米で理解されていなくて、そこから問題が生じました。ヨーロッパ語圏のように左ページから読み始めて、最初にラストを読んでしまう間違いが多くあったのです。そこで、マンガを英訳するときに行われたのが、絵の左右反転です。左から右へ読むように変えたわけです。80～90年代までごく普通に行われていた手法です。そこで問題が発生します。お分かりでしょうか？

『ブッダ』のなかで、右手と右手で握手するイラストが、反転されて、左手と左手で握手するイラストに変換されてしまったのです。イスラム教徒にとってもヒンドゥー教徒にとっても、左手は不浄とされていますから、これはありえないことです。実際にこのマンガの英訳がインドに渡って、政治問題にまで発展しました。手塚治虫さんには全然責任はないわけです、ちゃんと右手で描いたのですから。ただ翻訳されただけで、宗教的タブーを起こしてしまうことになった。となると、表現は自由といっても、翻訳という手立てを一つ加えることで、不自由になるどころか、一部の人たちの権利をも侵害してしまうことになるのです。

　こうした宗教と表現の自由の問題は、いろいろなところで起こります。サルマン・ラシュディの小説『悪魔の詩』（１９８８年）も、当時イスラム教を冒瀆《ぼうとく》しているとして、大論争になりました。イランの最高指導者ホメイニー師はラシュディらに死刑宣告し、１９９１年には日本語訳をした筑波大学助教授（当時）の五十嵐一《ひとし》さんが殺害されました。表現の自由は神への冒瀆につながるとか、宗教上の禁忌（タブー）に触れたから殺されたのだ、といった論調のマスコミもありました。実際には、五十嵐さんは禁忌に抵触しようとか、表現の自由を守らなくてはいけない、という主張をするために、この小説を訳したわけではありません。これについては私も英語・フランス語も含めて論文を書いていますので、参照してください。この事件は、もう30年も経って時効になったと思っていたのに、つい最近、２０２２年８月に、ニューヨークでラシュディが刺されました。「芸術における表現の自由」という講演をしようとしていたところでした。

　マンガ家やデザイナーなどいろいろな表現者を目指すみなさんに覚えておいてほしいのは、自分が善意でやったことでも、思いもよらぬところから、こうしたとんでもない誤解や反感を招くことがあるということです。このような「不自由」な場面に我々はいくらでも遭遇します。他人事ではないのです。

表現は自由なのか不自由なのか

２０１９年８月に名古屋のあいちトリエンナーレで「表現の不自由展・その後」が行われ、その続編として、２０２１年７月に「私たちの『表現の不自由展・その後』」があり、大変な議論になりました。芸術の自由、表現の自由が守られるべきなのに、制限を受けて自由に表現できなかった作品がある、その「不自由さ」を扱おうとする展示自体が問題とされ、展示できなくなりました。ジャーナリストの津田大介さんが芸術監督となり、慰安婦問題、天皇と戦争、植民地支配、憲法９条、政権批判などタブーとされがちなテーマも扱われましたが、名古屋市長の河村たかしさんが「陛下への侮辱を許すのか」とデモをする一方で、「まるで戦前の検閲」とプラカードを掲げて反発する人もいて、さまざまな議論を呼びました。ここではその逐一には深入りしませんが、なぜこういう問題が起きるのか、別の角度から考えたいと思います。

理論的枠組みから問い直したいと思います。日本で「free」や「liberty」が「自由」と訳されましたが、そもそもこれらの語彙はどこからきたのでしょうか

まず、「free」は friend と同じ語源です。free は隷属からの自由であって、隷属でない関係、対等な関係が friend です。一方、「liberty」は、ラテン語の liber からきていますが、同じ語源からきた liberate は奴隷を解放して自由にするという意味の動詞です。図書館、本屋を表す library も語源が同じです。なぜでしょう。奴隷から解放されて、教養や文化に自由にアクセスできるようになる、その象徴が本でした。つまり、本を読んで教養を身につけることと、自分が精神の自由を獲得することは、密接に絡まっています。ローマ時代のストア派哲学者・セネカは、「教養が精神を自由にして肉体から離れていく」という考え方をしていました。もともと、ヨーロッパ語の liberty とか freedom の背後には、「肉体は牢獄」という考えがあったわけです。そこから解放されるという意味がこれらの言葉の背後に色濃くあることが分かります。徳川時代末期から明治初期に、福沢諭吉らがこれらの欧米起源の言葉を訳すのに「自由」という訳語を充て、それが韓国でも中国でも使われています。

では、そもそも「自由」とは何なのか？

ここで簡単に常識のおさらいをしておきます。イギリスで活躍したアイザィア・バーリン

の著書『自由論』（原著１９５８年、邦訳１９７１年、みすず書房）は自由論の古典として有名ですが、そのなかでも、消極的自由「free from ～」（奴隷などの制度からの解放）と、積極的自由「free to ～」の二種類があると言っています。バーリンは積極的自由が全体主義の脅威を招いた、と主張しましたが、これに先立って、エーリッヒ・フロムは『自由からの逃走』（原著１９４１年、邦訳１９５１年、創元社）のなかで、「自由は怖い、自由を獲得するのは恐ろしい」という風潮が広がって全体主義の温床になり、ナチスドイツの権力掌握につながった、と指摘しています。このどちらの指摘が正しいのかについては議論がありますが、そうした危機感が広く共有された時代があったことは覚えておいてほしいと思います。

その傍《かたわ》ら、フランスのアンドレ・マルローは、アフリカ諸国が独立した１９６０年の演説で「人は自由を征服できるか」と語っています。でも「征服」される「自由」って何なのか？　「征服」されたら「自由」はもはや自由ではないはずですよね。おそらくここでマルローは「プロメテウスの火」を考えていると思います。ギリシャ神話では、プロメテウスは神から火を盗んで、それで文明が生まれます。火を使えるのは人間だけです。しかし、その火を使って人間は武器をつくり、戦争を始めてしまった。「自由」についても同じことが起こる。だから人類は「自由を征服」できるのか、とマルローは問うのです。マルローはナチスドイツに対する抵抗運動、レジスタンス活動をして英雄と称された人物です。全体主義を経験したこの世代の人たちは、「自由」についてこうした考えを巡らせていました。

それを前提として、では、そもそも「表現は自由」なのでしょうか。「表現」（Expression）と「表象」（Representation）はヨーロッパの概念では対立した言葉です。一方でRepresentationは、模倣・再現、代表といった意味で、哲学では「表象」とも訳しますが、政治の代議制もここに由来します。自分が直接政治に関わるのではなく、投票して選ばれた人にかわりに政治をやってもらうのが代議制だからです。他方、Expressionは、レモンを搾れば汁が出るのと同様、内面を表現し、主観性を表出するものです。

表現主義（Expressionismus）は、ナチスドイツによって退廃芸術だ、勝手な表現は極めて危険であると、攻撃されました。表現主義に対立するのが、19世紀のフランスの画家、ギュスターヴ・クールベを源とみなす写実主義（Realismus）です。「写実」は「現実の忠実な表象」による社会批判を掲げましたが、それが体制派となり、秩序や規範性を重視するものへと変質を遂げると、行きつく先は国家主義や社会主義レアリズムになります。そこから見ると、自由主義は危ないものとみなされます。１９３０年代の日本でも、自由主義者というだけで、危険思想として攻撃されました。

ごく単純化してまとめると、20世紀前半の戦前の芸術は、現実の再現・表象を重視する写実主義あるいは具象絵画と、フランツ・マルクのような表現主義に分かれていき、その間に、カンディンスキーのような抽象絵画が生まれました。抽象絵画もロシア革命後、社会主義が体制として確立するに従い、路線に沿わないものとして批判され、排除されていきました。

戦後になると、例えば北米ではジャクソン・ポロックの抽象表現主義が評判を呼び、何が描いてあるのか分からない、つまりもはや「表象」ではなく、絵の具によってのみ「表現」しているだけの絵になっていきます。同じころ日本でも、先ごろ亡くなった篠田桃紅《とうこう》さんほかが書道において、もはや文字を記さない表現を目指します。何の文字が書いてあるか分からない、ただ墨で表出する書の「抽象表現」の世界です。すると、表現とはもう、何かそれと分かる形や字などの情報を伝達する媒体ではなくなってきます。

では、表現と自由の関係はどうか。「模倣」や「表象」は形あるものを真似するのだから、そもそも自由な表現とはいえないのではないのか。ここで、芸術「表現」における「自由」あるいは「不自由」とは何なのか、を考えなくてはなりません。

「表現」の媒体として「イメージ」という言葉をよく使いますが、もともとはラテン語のイマーゴが語源で、似姿《にすがた》、模像という意味です。似姿といえば、聖書の創世記に「神は御自分にかたどって人を創造された」と書いてあり、それがビザンチン帝国の時代には、いわゆるイコン論争を引き起こしています。神が自分を真似して人間をつくったのはいいけれども、私たち人間が神を真似した像をつくるのは、神への冒瀆だ、という考えです。一方で、神を崇めるために、像が必要だという考えの人たちもいます。イコンを壊す人たちは、実は、神の似姿に力があると感じていたから壊すわけで、イコンを擁護しようとする立場とは、裏表の関係といえます。タリバンが２００１年３月に世界遺産のバーミヤンの仏像を破壊しました。そこには世界の不平等に対する怒りが表明されていますが、像の存在がそうした邪悪なものを引き寄せたのだ、との考えが、その根底にあるのは否定できないでしょう。

パロディは芸術表現か否か

パロディはどうでしょうか。古典的な例を一つあげます。雪山を背景にスキーヤーたちがシュプールを描く様子を写した白川義員《よしかず》さんの写真（１９６７年）を使って、マッド・アマノさんが「ＳＯＳ」（１９７０年）というパロディ写真を発表しました。雪山の上から大きなタイヤが落ちてくるのでスキーヤーたちが逃げている、という趣向にしたものです。これは笑える、面白い表現と思うか、それとも著作権を侵害している、やりすぎだ、と思うか。みなさんのお考えはどうでしょうか。白川さんは著作権侵害だと裁判を起こして、アマノさんが敗訴しました。パロディが芸術の表現として許される範囲から逸脱していて、権利侵害にあたる、という判決でした。今から半世紀ほど前の事件です。

最近の例もひとつ。芸術家の岡本光博さんの「バッタもん」という作品は、ルイ・ヴィトンやシャネルなどのブランド（と見紛う）布地や革を使って、バッタを作った芸術作品です。これは許されるでしょうか。「ばったもん」とは、関西の言葉で、「偽物、正規ルートで手に入れたものではない材料で作った模造品」という意味です。バッタの形をした「ばったもん」です。面白いのに残念なのは、外国語に翻訳されちゃうと、この日本語のダジャレが通じないことです。しかも、そのまま公共空間で展示しようとすると、日本でも外国でも、だいたい禁止措置が取られます。登録商標に抵触する、というわけです。でも岡本さんがやりたかったのは、偽物と本物を区別しているけど、それはいったいどういう意味なのか？「模造商品」とは何なのか？「コピー商品」は違法だとされるけど、なぜ「商品」ではない

岡本光博「バッタもん」

コピーもつくっちゃいけないのか？　そもそも商標とは誰のために何を保護しているのか？といった問題提起です。

　この作品は２０１０年に神戸市立の神戸ファッション美術館で展示されました。いろいろなブランドの柄のバッタがあったのですが、ルイ・ヴィトンが商標侵害だと訴えました。訴えがあったその日のうちに、キュレーターにも芸術家にも何の断りもなく、全て撤去され、カタログも裁断処分になりました。「これは権利侵害だ、けしからん」と怒るか、「面白くていいじゃん」と応援するか、「自分には関係ない」「興味ありません」と答えるか、あなたはどうでしょうか。

　いずれにせよ、版権所有者が権利侵害だと主張すれば、芸術表現の自由は簡単に失われてしまうという状況があります。当時は新聞記事やネットニュースになりましたが、今見ようとしても、新聞の電子縮刷版配信などでは、画像の部分はマスキングしてあります。当時どう報道されていたか、歴史史料となるイメージそのものが検閲された状態なのです。

　さらに芸術家のタノタイガさんが、ルイ・ヴィトンのバッグの形、模様、そっくりの木の彫刻を作って、パリの本店に抱えて行って、追い出されるところまでビデオで撮影してもらっています。仙台でこの木彫作品を展示したときには、ロゴマークのところだけシールで覆い隠したそうです。それなら「商標侵害」でないので展示してもいいという許可が出たそうです。この話、なにかヘンだとは感じませんか？

登録商標の侵害は、言ってみれば海賊行為ですが、違法で摘発されるものという「社会的良識」が通用しています。その象徴が、モノグラム、商標、つまりブランドです。では、ブランドって何でしょうか。もともとは牧畜を営む人々（の一部）が自分の羊を見分けるために、羊に焼き印をしたのが「ブランド」でした。これは私のものですよ、と所有権を主張してマーキングをすることです。それが今、日本人は、ブランドは高級品ともてはやして、違う意味になっています。ここでルイ・ヴィトンのモノグラムのマークの周囲にある「丸に十字」の印は、よく見ると、薩摩藩、島津家の家紋によく似ています。ヴィトンは、薩摩藩の家紋とは全く関係ありませんと言い張っています。どちらの主張が真実であり、どこに正義があるのでしょうか。

さらに面白いのは、ヴィトンが自らつくったバッタの置物です。自社のブランドの皮革でぬいぐるみを作って、そこにはバッタまで含まれます。私には岡本さんの「バッタもん」の方が、はるかにできがいいと思えますけど、ヴィトン側は「対抗してつくったのではありません」と言っています。でも仮に岡本さんの意匠をルイ・ヴィトンが買収したりしたら、岡本さんの作品は、もはや「バッタもん」ではなくなってしまいますね。「模造品」ではなく、純正商品になるので。

そこで、岡本さんも負けていません。今度は「バッタもん・リターンズ」という作品をつくりました。もちろん、映画『バットマン・リターンズ』にかけたダジャレです。つまり、リターンマッチをやった、帝国に対して復讐をした、というわけです。さらに、「バッタもんのバッタもん」もつくりました。そうやって複製の複製をつくると、何がオリジナルだかすっかり分からなくなってきます。世の中には複製したコピーがたくさんあふれているのに、どうしてブランドだけが、商標侵害と偉そうに言う権利があるのか、それを許す今の社会がおかしいんじゃないか、そういった社会の「歪み」そのものを表現して、問題提起をする「芸術の自由」を「知的財産権」の乱用が「不当」に侵害しているんじゃないか――そのような問いかけなのだと、私は理解しています。岡本さん、間違っていたら、ごめんなさい。

もちろん、複製してはいけないものもあります。よく知られているのがお札です。

でも、今では１万円札の柄のお財布なんてものもあって、普通に売られています。しかし、１９６０年代には、芸術作品として複製しても裁判になり、芸術家の赤瀬川原平さんが、訴訟で負けています（※1）。ではなぜ「お札」や金銭の「模造」は犯罪なのでしょうか？

大量生産の時代の前衛アート

これまで見てきたように、パロディ、つまり「似像の戯画」というものがいろいろと問題を引き起こすわけですけど、それを踏まえて、次には、そもそも芸術は本当に自由なのか、を考えたいと思います。

京都を代表する前衛の陶芸家だった八木一夫さんは、さまざまな問題提起をする芸術を制作しています。彼の最初の有名な前衛的作品「オブジェ焼き」は、真ん中が輪切りにされた陶器で、器としても鉢としても使えるものではありません。その作品名が「ザムザ氏の散歩」（１９５４年）です。「陶芸」からの脱退宣言といってもよい。

作品「ニュートンの耳」（１９６９年）は、四角いキューブ型のものに、穴が開いていて、なかにはリンゴにかたどった耳があります。これはパロディのかたまりです。当時、関根伸夫さんが穴を掘った作品「位相―大地」があり、穴を掘っただけで芸術になるのか、と話題を呼びました。さらに、堀内正和さんが「エヴァからもらった大きなリンゴ」といった金属作品を造り、また、三木富雄さんは「耳」という作品を多く発表していました。これら当時流行っていたアートを八木さんは全部集めて、その断面を見せて、現代のアートの断面図、として「表現」した、と見るのが私の解釈です。これを見て、面白いと思うか、許せないと思うか、無意味だと思うか、それとも、人の流用や真似をしているだけで、こんなもの「表現」じゃないと思うか。みなさんはどうお考えでしょうか。表現をお互いに貸したり借りたりするこの「パロディの時代」の時代批判とも考えられるかと思います。

八木さんには陶磁でつくった本、箱、メガネの作品もあります。当然ながら、陶磁の箱は開けないし、陶磁の書物はページをめくれません。陶磁のメガネでは何も見えません。実はこれも、パロディです。ジャスパー・ジョーンズが「The Critic Sees」という作品を発表しています。メガネのグラスの向こうに、眼ではなく口があって、「批評家は芸術をちゃんと目で見ているのではなく、口で適当なことを言って我々にかみついている、それはけしからん」と訴えているわけです。それを今度は八木さんがパクったのですが、陶磁で作ってありますから、このメガネでは、見ようにも何も見えません。つまり、ジョーンズの主張を揶揄しているのです。

篠原有司男《うしお》さんは、「コカコーラ・プラン」（１９６４年）という作品を制作していますが、これはコーラの瓶を並べてつくった作品です。何かというと、ロバート・ラウシェンバーグの「Coca-Cola Plan」（１９５８年）の全くの真似です。純然たる「コピー」です。

どういうことでしょうか。60年代は、大量生産の芸術がたくさん出回った時代です。コピーを大量生産して有名になったのが、アンディ・ウォーホルです。キャンベルのトマトスープ缶やマリリン・モンローの色違いの肖像を並べたポップアートで有名ですね。

そうすると、アンディ・ウォーホルの亜流を、篠原さんが「コカコーラ・プラン」でやって、その次世代的展開を30年後に岡本さんが「バッタもん」でやったわけです。いずれも、表現の自由とは何か、という問題を提起する作品で、人の模倣をするとは何かを問う、というテーマが裏にあります。大量生産、大量消費の時代は、全て模倣した同一規格のコピーが世の中に流通する時代でした。その同時代を見事に描いたものともいえます。だから、模倣することが文化であるのに、なぜ、芸術家が模倣してはいけないのか、という一種の問いかけでもあります。そもそも欧米起源の「前衛」の模倣や追従でなければ、世界中どこでも「前衛」作品とは認知されなかった、という時代性も、忘れてはならないはずです。

さて１９６０年代に全盛を迎えた「前衛芸術」も、いろいろと新しいことに挑戦していますが、芸術家本人は前代未聞、天地開闢《かいびゃく》以来の新機軸の「表現」と思っていても、無意識に過去の芸術の模倣になっていることがあります。誰の真似でもない「表現」のつもりだったのに、自分では意識していない過去の「表象」あるいは「模倣」だった、というわけです。篠原有司男さんの「ボクシング絵画」は、グローブに絵の具を塗りつけて、壁面へパンチしながら描いていきますが、できあがってみると、尾形光琳の『燕子花《かきつばた》屏風』によく似ています。臨済宗の禅師だった白隠《はくいん》禅師が壁をパンチしている古い書画も近年、再発見されました。同じことをしているんです。ナム・ジュン・パイクは、髪を墨バケツに浸けて、それを筆にして絵を描いていますが、唐の時代の書家が酔っぱらってやっていたことのパクリです。白髪一雄さんは、天井からぶら下がった紐につかまりながら、素足で絵を描く「アクション・ペインター」として有名ですが、これは彼が若い頃、比叡山修行をしていて鐘を突いたときに、綱にぶら下がって撞木《しゅもく》を打ったのを応用した、と本人が晩年に語っています。安田先生にならって言えば、どれも過去との「共鳴」、レゾナンスによって、作品ができたわけです。

丸、三角、四角を並べただけの芸術作品も、たくさんあります。仙厓《せんがい》の禅画が有名ですが、菅井汲《くみ》の絵画、ウォルター・デ・マリアの立体作品にもあります。先ほど出た八木一夫も焼き物に描いています。丸、三角、四角は一番根本的なプラトン物体ですから、建築家の安藤忠雄さんも、煎じ詰めれば、建築はそこに戻る、と語っています。四角をモチーフにしたのが「光の教会」ですし、丸をモチーフにしたのが「上海保利大劇場」やパリの「ブルス・ドゥ・コメルス」（旧証券取引所）、三角をモチーフにしたのがベネチアの「プンタ・デラ・ドガーナ」。大運河の河口の税関倉庫を再生させた美術館で、三角形の波止場に建っています。建築家は、他の人の作品のパクリをもって自分の創造ができるという真実をよく自覚して、実践している人たちです。

表現そのものが持つ危なさと、被害者意識

まとめましょう。イメージとはイマーゴ、似像のことで、そもそも「模倣」することなのだから、自由ではないともいえます。模倣しようとしても著作権に抵触して許されなければ、「表現」は「不自由であることの表明」となります。さらに盗作ですが、イメージとは、もともと、神の技を盗むこと、神のパロディだから、それは神を愚弄することになる。だから冒瀆だ、となります。それが人間同士の関係に置き換えられると、権利侵害とみなされれば犯罪となります。「自己表現」のつもりでも、誰かの模倣だと認定されたら、処罰されかねない。そして、そもそも神の御業《みわざ》を人間が模倣することは、人間が増長している証拠であり、

それは神さまの名によって懲罰されなければならない、冒瀆した人を殺害するのも当然だ、という理屈にもなるわけです。

　そういった考えと、表現の自由とのぶつかり合いが、現代のさまざまな事件につながっています。サルマン・ラシュディの『悪魔の詩』が神への冒瀆となって、作者が刺され、翻訳者も原作を日本語に「うつし」（＝翻訳し）たのだから、「コピー」作者で同罪だとして、殺害されました。シャルリー・エブド襲撃事件も、イスラームを風刺する「イメージ」は神への冒瀆だとして編集長やイラストレーターらが殺害されました。京都アニメーション放火殺人事件でも、容疑者は、自分の作品を盗作した仕返しだ、と逮捕時に話しています。むちゃくちゃなロジックだと思う人がほとんどでしょう。でも、本日の講義を踏まえると、どうでしょうか？　そこには実は、神さまのイメージを盗むという人間の営み、つまり、〈イメージをつくるという「表現」〉すなわち〈表象〉そのものが持っている「原罪」にも等しい危なさと全く同じ構造が、繰り返して現れているのが分かります。

　さらにこれをつけ加えると、話が飛躍していると思われるかもしれませんが、安倍晋三元首相殺害事件も同じロジックです。そもそも代議士とは国民に選ばれて、私たちの代わりに政治をしてくれる人でした。つまり私たちの代理人です。「代理」（represent）は「表象」。

その代理人の関与によって自分の財産や家族が略奪されて侵害を受けてしまった。だから、代理人の代表である首相に、最終的な責任がある、というロジックです。たしかに飛躍しているけれども、しかしそこには一貫した〈表象〉のロジックがあるのが分かります。有名人が理不尽とも見える標的になりやすいのは、このためでしょう。

ひとことで要約します。自分の財産を盗まれた、つまり盗作された、財産をパクられちゃった――、そういう所有権侵害にまつわる被害者意識が、自由社会の大原則、表現の自由と、実は裏腹で、表裏一体に癒着し、とりわけ昨今のネット社会、マルチバースやメタバースの仮想世界まで含めて、人々の日常生活に対する大きな脅威になってきていることが、見えてきたのではないか、と思います。「表現」とは、そもそも「不自由」と表裏一体だったのです。

稲賀繁美×サコの議論

サコ　自由論の一番のポイントは、日本で理解されている「自由」の捉え方と、自由という概念を言い出した欧米が持つ「自由」の捉え方が違うことです。日本の若い人たちは、自由気まま、という意味で捉えていますが、じゃあ、それに代替する言葉や思想はあるのか、と。

稲賀　重要な指摘です。日本では、自由気ままという連想が強いのに対し、ヨーロッパでは、自由は「獲得」しなければならない目標です。マルローは「自由の征服」といいましたが、征服して初めて獲得できる権利が自由だ、という意識とは、（明治初期の「自由民権」運動にもかかわらず）日本人はまだ折り合っていないようですね。日本国憲法は、一つには世界人権宣言と同じ理念をも下敷きにしてつくられたわけですが、そこで翻訳語として使われる「自由」を盛った憲法が、現在の日本では「押しつけられた強制」だったようにさえ受け取られている。占領下で獲得された「自由」は、最初から初期条件として「不自由」を抱えていたことになりそうです。

サコ　自由を獲得する過程で不自由になることもあるから、むしろ、不自由を持って自由を目指した方がいいのか、と思うこともあります。稲賀先生がおっしゃったように、表現は自由だと思っているけど、実際には不自由なことが多いですよね。というより、不自由から始まります。予算があったり、締め切りがあったり。私は建築が専門ですけど、クライアントがいろいろ言ってきて、つくるものは決して自由ではない状況です。そうなると、表現が最も不自由なんじゃないかと。じゃあ、自由ってどう表すか。それが、稲賀先生の話のなかに出てきたものだと思います。

稲賀　サコ先生が見事にまとめてくださいましたが、現在の日本の建築は、複雑な規則の網の目に抵触しない結果としての「妥協の産物」ですね。建築が容器ならクライアントはそこに住むことになる生き身の中身ですが、その文脈で、岩明均《いわあきひとし》さんの『寄生獣』（１９９０年～１９９５年）というマンガを紹介したいと思います。自分の体のなかに、宇宙から来た侵入者が入り込んで、右手を乗っ取られてしまう。その「他者」なる相手「ミギー」（英訳ではLefty）とケンカをしながら、新しい拡大した「自分」をどう織り上げていくかという「異文化理解」「異文化共生」のストーリーです。そもそも我々が生かされている生態系も社会も、いろいろと不自由な環境ですが、そのなかで育ち、育まれてゆくもの、丹精を込めて育ててゆくものが「自由」ですね。

　前回、安田先生が触れておられたフランスの社会学者のピエール・ブルデューが言っているのは、芸術は「自由気まま」ではなく、芸術にも「規則がある」、ということです。遊ぶときにルールがないと遊ぶことができないように、芸術にもルール（règle de jeu）があると。

でも、規則には必ず隙間、マージン（jeu de règle）があります。その間を縫っていくと、そこに一つの可能性が開けてくる。現在の遊戯のなかには過去が入り込んでいて、そこで遊ぶことが未来へとつながっていきます。それが永遠に続く「自由の実現」への道行《みちゆき》であり、そこには静止した「完成点」などないはずです。それが「表現」するみなさんへの私からのメッセージです。

※１　**千円札裁判**　１９６５年に赤瀬川原平さんと印刷所の社長が、通貨及び証券模造取締法違反で起訴され、裁判となった。赤瀬川さんは、千円札の柄の裏に自分の個展の案内が印刷された案内状を作成、さらに、千円札を２００倍の大きさに拡大模写した作品「復讐の形態学」や「大日本零円札（本物）」などの作品を制作した。前衛芸術とパロディ的作品の意味が法廷で争われたが、「言論・表現の自由は無制限にあるものではない」と東京地裁で判決を受け、東京高裁に控訴したが、控訴棄却、さらに最高裁判所に上告したが、上告拒否され、有罪確定となった。

「性」と自由

第6章

◈ **鈴木涼美**（作家）

1983年生まれ。慶應義塾大学在学中にAVデビュー。東京大学大学院修士課程修了後、日本経済新聞社に5年半勤務。著書に『「AV女優」の社会学　なぜ彼女たちは饒舌に自らを語るのか』（青土社）、『身体を売ったらサヨウナラ　夜のオネエサンの愛と幸福論』（幻冬舎）、『JJとその時代　女のコは雑誌に何を夢見たのか』（光文社新書）など。小説『ギフテッド』（文藝春秋）が第167回芥川賞候補に、『グレイスレス』（文藝春秋）が第168回芥川賞候補に選ばれた。

◈ **阿毛香絵**（京都大学アジア・アフリカ地域研究研究科教員）

専門は文化人類学、アフリカ地域研究、現代社会とイスラーム。慶應義塾大学在学中にセネガルを訪れて　アフリカに魅せられ、ダカール大学留学。慶應義塾大学大学院、フランス国立社会科学高等研究所で文化人類学を学んだ後、京都精華大学国際文化学部で教える。アフリカ・アジア現代文化研究センター研究員。

フェミニズムは「型」になったのか

阿毛　実は鈴木さんとは慶應大学時代からの友人です。鈴木さんがすごいのは、既存の女性の枠を突き破っていることです。タブーになっていることに対しても、女性の権利を主張する、という今までの論理とは違ったアングルから、別の角度から光を当てていることです。フェミニズムという枠組みでは捉えられない鈴木さんのような女性の目線があっていいと思います。

サコ　フェミニズムっていいますけど、現代の状況を見ていると、フェミニズム自体が、もうすでに一つの型、フレームになってしまって、逆にいろいろな女性が生きづらくなっていると思うんです。だから、フェミニズムもウーマニズム（※1）も超えちゃった方がいいんじゃないかと。それがどんな言葉になるのかは知らないですけど。私は女性が生きたいように生きればいいと思うんです。

鈴木　私は日本では世間的にはフェミニストという印象はあまりないと思いますが、上野千鶴子さんとの共著『往復書簡　限界から始まる』（２０２１年、幻冬舎）が、中国では10刷の重版になって話題になっているので、中国からの留学生と話すと、若手フェミニストと呼ばれることがよくあります。

私は大学や大学院で社会学を学んでいたので、フェミニズムも身近なテーマでしたが、当時から、フェミニストを名乗る人とは必ずしも考えが合うわけではない、と思っていました。ただ、一口にフェミニストといっても、実はいろんな考えの人たちがいます。

例えば、『ポルノグラフィ防衛論』（ナディーン・ストロッセン著、2007年、ポット出版）という本では、ポルノに関してフェミニストが取り得る代表的な二つの立場から議論が展開されています。ポルノで描かれるようなステレオタイプ的女性像を量産することで、結果的に女性にとって不自由な性規範や、男性優位な社会構造が再生産されてしまうから、差別を温存しないためにもポルノを規制するべきだ、という意見と、もう一つは、ポルノを見たりつくったり、あるいは出演したりするのも女性の自由だ、という意見です。一般的にフェミニストはポルノ規制を訴える印象が強いかもしれませんが、同じフェミニストを名乗る女性たちから、好きでポルノに出ている女性の権利を奪うことはできない、ポルノを楽しんでいるのは男性だけではない、という意見が出てきました。女性の自由・権利を守ろうという同じ目標を掲げている人たちの間でも、意見が分かれるトピックはたくさんあるし、宗教によっても、あるいは生きてきた家族構成や社会の状況によっても、大きく考えが違ってくるのが、フェミニズムの難しいところだと思います。

女性の自由が大事ではない、というフェミニストの人はいないですが、何を自由と捉えるか、差別がないことなのか、もしくは、自分がしたいことが差別的表現を一部含むとしても、表現の自由の方が大事なのか、というのは複雑な問題だと思っています。

売春を否定できる論理はあるか

サコ　フェミニズムと定義された時点で、枠にはめていると私は思っていて、それが正しいか正しくないか、それぞれ捉え方が違うと思います。

最近は女性の貧困層が増えていると報じられていますが、それを守るシステムがありません。すると貧困によって、夜の仕事、性産業で働く女性が増えていきます。でも、その人たちを守る法律がないですよね。合法ではないから守れない、という。でも、その夜の場を楽しんでいるのは、法律をつくる側の男性ばかりで、社会的な矛盾を感じます。女性が風俗で生計を立てることを否定するのに、女性が性産業に流れないようにする対策は何もとられていません。自由といいながら不自由な状況に置かれていると思うのです。鈴木さんはどう捉えてますか。

鈴木　日本はジェンダーギャップ指数と呼ばれる指標が先進国のなかでは最低ランクで、いろいろな男女格差が残っています。加えて、パーティーやナンパの習慣よりも接待や風俗店の方が文化として根づいている。そのため女性にとっても性産業がアクセスしやすい場所にあり、その内容やジャンルも多岐にわたる、という独自の風土があります。そのような背景がある上で、コロナ禍やロシア情勢、円安、長期間の経済停滞などの事情が加わると、大きな抵抗なく売春産業を選択する女性がいることも容易に想像できます。もちろん、貧困と売春がある国は他にもありますが、女性たちが売春産業に足を踏み入れる構造や事情は各国で違います。『「セックスワーカー」とは誰か』（青山薫著、２００７年、大月書店）はタイの性産業で働く女性を取材した本ですが、そこで浮かび上がる、どのような地域のどのような家庭からどんな手段で夜の街へ出てきたのかといった事情は、日本の状況とはまた違うものです。売春について議論する際には地域性を考慮することが重要だと分かります。

　日本ではかつて家族の借金のために娘が遊郭に売られる構造があり、公娼制度廃止後も赤線地帯などで事実上公認されていた売春産業を取り締まるため、１９５６年に売春防止法が成立しました。罰則があるのは基本的には管理売春ですが、現在も売春をする自由は法律的には認められていません。でも、面白いというか、日本語は豊かなもので、言い逃れできるゆるみがものすごく豊かに発展したのが、日本の売春産業、俗に夜職、水商売、風俗といわれる業界です。

例えばソープランドは、個室の風呂に入りにきた男性が、たまたま女性従業員と恋に落ちて性行為に及んで、プレゼントとしてお金を置いていったという論理で、風呂屋での恋愛ということになっています。また、インターコース（性交）を含まない場合は売春に含まれないので、デリバリーヘルスやファッションヘルスなど射精あり・本番なしの業態が合法的に存在しています。最近ではネットでマッチングアプリのような体裁をとって、男女をマッチングしただけで後は何が起こるか知りません、というようなパパ活アプリもあります。女性にとっては、そこまで危険を冒さなくても、あるいは、非常に怖い組織の手下にならなくても、身近なところに広義の売春産業がいっぱいあって、お金儲けができる環境があるわけです。

貧困で生活を成り立たせるため、お母さんの病気の薬を買うために働くという場合もありますが、それほど貧しくない人がより豊かな生活を得るため、ヴィトンやシャネルのバッグを買うために働くというケースも多くありました。特にかつての日本の売春産業の特徴は、普通の女子大生がブランドものを買うためにカジュアルに働いていることだといわれていました。一応法律でダメということにはなっているけれども、売春への入口がいっぱいあって、自分の社会生命をかけなくても、自分の今の生活を捨てなくても、一部だけ、例えば土日だけとか月末だけ売春産業に参加できるという状態を、女性の自由ととるか、不自由ととるか、議論が分かれるように私は思います。

私自身はそういったところに勇んで入っていったタイプです。私が高校生の頃は、女子高生が穿《は》いた下着を買い取って、欲しい男性に売る業者の「ブルセラ」がありました。社会学者の宮台真司さんが『制服少女たちの選択』（１９９４年、講談社）を出して、「ブルセラ論争」が起きていました。本来ならただ捨てるだけだった古着を買ってくれる人がいるおかげで、お金という一つの自由の形を手に入れることができる。放課後の選択肢も増えるわけだから、自分の自由に変えられるわけです。資本主義万歳、と思っていました。

一方、それを否定する論理がどこにあるか考えると、手を伸ばす先にお金儲けの手段（風俗）が転がっているけれども、その手段は強いジェンダーバイアスと搾取の構造の上に成立しているとすれば、それを自由と断じていいのか、という問題もあると思います。風俗以外の選択肢がある女性ばかりではないからです。サコ先生の言うように、コロナ禍で売春に流れてしまう貧困女性が増えているといわれていますが、売春が社会的に大きな罰則をともなわないから、あるいはヤクザの組織のなかに入らないとできないわけではないから、それができるのが一つの自由の形という論理もつくれるけど、そこに流れざるをえないのは、不自由です。だから、どっちの論理もあると私は思っています。

阿毛　鈴木さんの視点には、お金や性を求める男女への批判だけでなく、皮肉と愛を感じます。上野千鶴子さんは、売春の構造自体が暴力だと言っていて、それも分かるんですけど、鈴木さんの著作を読むと、弱者として消費される対象であるはずの女性がある種の皮肉に満ちたインテリジェンスでもって消費者の男たちを俯瞰して「バカな買い手」という目線で見ているのが面白いと思います。真っ向から男性を敵とみなして戦うタイプのフェミニズムとは土俵が違うのです。そして、文才がある。今まで夜の世界の女性本人が文学者として社会に向けて表現することはない、と思われがちでしたけど、それを壊したのが面白いし、すごいことです。男性は女性を母や妻としての女性、娼婦としての女性、というように極端なステレオタイプにカテゴライズして見ています。最近はそれに同僚としての女性も加わった。

でも、これらを横断する女性がいてもいいし、その境界を壊す女性がいてもいい。鈴木さんの目線の先には男性だけでもなく、女性ももちろんいて、そして批判ではなく矛盾やリアリティに満ちた「愛すべき愚かな男女」が描かれる。だからいろいろなフェミニズムの主張のなかでも、女性は虐《しいた》げられており抗議すべき立場にあるという考えをよりどころにしている人にとっては、鈴木さんは居心地の悪い存在なんだと思います。確かに男性中心の社会がつくったシステムのなかで苦しんでいる女性たちがいることは事実で、そこから抗議することはもちろん重要ですけど、鈴木さんの表現の視点はそこからではないから。

ステレオタイプはいけないのか

鈴木　男にとっての妻や母に代表されるようないわゆる清純な女性と、娼婦のような女性というステレオタイプの二つしかなくて、どちらかに当てはめて生きないといけないのは不自由だと思います。

　ただ、不自由のなかから生まれる文化もあります。『ＪＪとその時代』でも書きましたけど、『ＪＪ』の全盛期、たかだか30年前でも、今と比べるとジェンダー・ステレオタイプは色濃く残っていました。『ＪＪ』は当時80万部を売り上げる超人気雑誌で、ニュートラ、ハマトラなどのブームを巻き起こす女子大生ファッションのバイブルでした。その誌面に込められていたのは、基本的には近代以降の上昇婚、そして良妻賢母の思想です。当時は女性が結婚して家庭に入ることが多かったため、結婚前の女子大生・ＯＬ時代を、結婚までの準備期間と位置づけ、男性に選ばれる女性になることでより良い条件の結婚を目指す、そのために自分を磨くことが推奨されました。男性がつくった、女性が男性の理想に近づくための雑誌だったともいえます。しかし、そこで花開いた文化はものすごく華やかで、いつのまにか男の想像を悠々と超えて女性を夢中にさせるものになっていきました。男が提案した理想像を女性たちが自分の手で引き継ぎ、より魅力的なものを探し出したのです。自分の好きなファッションではなく男性に選ばれるファッションを選び、連れて歩けば自慢できる高級な女とか、お金持ちの男性が実家に連れて行って遜色《そんしょく》のない女性とか、そういう存在を目指す。

この男性依存的な思想は男女不均衡を否定せず逆手に取った、フェミニストから見たらナンセンスなものでしょう。でも、そこで生まれた文化の多くは、街の女性たちが自分らで選び取ってきたものでもあり、根底にある男性優位主義的な社会構造と切り離して愛することはできると信じています。私もすごくアンビバレントなので、好きな格好をしたい反面、男性に魅力的だとも思われたい。政治的に正しいことのなかに回収され切らない本音というのはあるものです。

それとは別に、規制があるからこそ生まれる文化もあります。例えば女子高生の制服です。私が高校生の頃は、制服がない学校の子も制服っぽい格好をするくらい制服が流行りました。既定の制服に細かいアレンジで自分らしさを加えるための流行も多く発信されました。ルーズソックスや胸のリボンが象徴的です。完全な自由より規制や条件のなかで遊ぶ方が楽しいこともあるわけです。社会的に洗脳されただけと社会学者は言いたがるかもしれないけど、私は制服文化や、『ＪＪ』の狂騒の華やかさは、たとえ不均衡な抑圧構造の一部として始まったのだとしても、いつしか最初の目的から切り離されたところで豊かに花開いた文化だと考えます。差別構造ありきで生まれたもの全てが、必ずしも差別を温存する悪しき文化だとはいえません。その点ではラディカルなフェミニズムの人、女性の権利に敏感な人たちが発信する「正しさ」とは少し違う視点を提示したいというのが物書きとしての動機の一つでもあります。

サコ　私の新聞連載に載せるイラストを学生に描いてもらうのですが、そのイラストに編集者から指摘が多く入って、描き直すことがよくあります。女の子の服がピンクだと良くないとか、女性らしさを消して表現しなくちゃいけないから難しいんですね。この授業では、マンガやイラストなどの表現はステレオタイプを描くことから逃れられないということをマンガ学部の吉村先生から学んだのですが（第４章）、そのあたりは、鈴木さんはどう思いますか。

鈴木　ステレオタイプを強要される社会は不自由だと感じますが、ステレオタイプと判断される人間像が全く表現できなくなってしまうのも不自由と思います。

　ディズニー映画を例にあげてみます。社会的に大きな影響力を持つディズニーはいち早くステレオタイプからの脱却と多様性への配慮に手をつけました。かつて白人、金髪、青い目のお姫様が王子様に助けられる物語を量産し、子どもたちにジェンダー・ステレオタイプを植えつけたと批判する声が大きくなったからです。現在では『モアナと伝説の海』（２０１６年）のモアナのように、アジア系やアフリカ系など、有色人種の主人公が多くなりました。ディズニー以外でもアメリカのファミリー層向け映画は表現の脱ステレオタイプ化に大変敏感に反応してきました。男性より強くて賢くて、男性に頼らず自分で闘う女性主人公の存在感はとても大きくなりました。『アナと雪の女王』（２０１３年）や『ワンダーウーマン』（２０１７年、ワーナー・ブラザース）もそうです。そうなると、金髪、青い目の主人公を描きたいという自由は侵害されていると考える人も出てくるわけです。社会で金髪のかわいい女性だけが優遇されるとしたら非常に問題ですが、虚構の世界では視聴者もたまには王子様に救われる物語が見たいのかもしれません。まさに表現の自由と社会的な責任の問題がそこにあります。個人的には、ディズニーや大手テレビ局のような大きな影響力を持つつくり手がある程度の社会的責任を負うのは仕方ないにせよ、虚構を描く際の表現の自由は最大限守られてほしいと考えています。

最近の女性主人公は、男に頼らず世界を変えられるほど強くて賢くて正しい分、普通の女性からかけ離れてエクストリーム化しているので、普通の女性である私としてはあまりに現実味がないような気がすることもあります。かつての少女マンガには、どこにでもいる普通の女の子があるとき男の人に出会い、その人に選ばれることで初めて特別な存在になるという恋愛至上主義の作品が多くありました。少年マンガの場合は、主人公の男の子があるとき蜘蛛にかまれて特別な能力を手に入れたり、有力な味方や仲間を増やしたりして偉業をなしとげ、自分が特別な存在になる物語が多いので、他者の承認が絶対条件となる女の子の物語の方が恋愛依存的でした。じゃあ、それを楽しんでいた私たちは何だったのか。ラディカルな社会学者は、それが幸せだと社会的に刷り込まれたんだと言うかもしれませんが、それで片づけてしまうには惜しい名作はたくさん生まれたわけですから。

倫理の際《きわ》はどこにあるのか

サコ　鈴木さんは大学も就職も一流の経歴なのに、なぜあえてポルノに出演したかというと、ステレオタイプに対する反発、「ステレオタイプ、分かんのかよ」みたいなのがあったのでしょうか。ウーマニズムなのか、何か分からないけど、そういうものがあったんでしょうか。

鈴木　私は今もギャル魂がどこかにあって、押しつけられたものに対して一回は抵抗したくなるんです。かつては校則も頓智《とんち》で切り抜けてきました（笑）。ルーズソックス禁止と言われたら、スーパールーズソックスで行くとか。反抗的な性格はその頃とあまり変わっていません。

　ただ、日本に生まれて、小学校から中学校にかけてロンドンに住んでいたんですが、日本に帰ってきたときに、日本人には聖書がない、倫理がないと感じたことはあります。多くの場合にイギリスより日本の方が保守的で多様性がなく、規則が多いように感じるのだけど、反面、何を善、何を悪として、何に罰を与えて、何を懺悔《ざんげ》するか、という規範がないのです。

儒教の教えを反映した常識もあれば、仏教からきている言葉や習慣もいっぱいあるけど、イギリス人が「聖書にはこうあります」というような、全員が最低限了解している経典はない。聖書とかコーランのような文字化された規範とそこに描かれる正義が、日本人にはないんです。では、ここ日本で倫理の際はどこにあるのか、何が許され何が許されないかは誰がどこで線を引くのかということに長い間興味がありました。私が入っていったところ、ブルセラやポルノ業界はその倫理の際にあると思ったのです。

法律を規範とすると、管理売春は罰せられ、個人売春は罰せられないけどダメなこととされている。では、下着を売ることはどう否定できるのか。法律では罰せないけれど多くの人がなんとなく「良くない」と感じる。そこにあるはずの倫理とか道徳とかで引かれるはずの線、ここからは良くないのだという感覚的な際はどこにあるのか、何によってその感覚は育まれるのか、と考えているうちに危なっかしいような場所に随分出入りしてしまいました。ある人にとってはものすごく不潔で不快だけど、自分の染みを付けた下着を特に危険を冒さずお金に換えられるのは合理的と思う人もいる。否定するには、魂に悪いよ、という宗教的規範が必要な気がするけど、日本で規範に相当するものは見当たらない。ないのなら、自分でそこに入ってみて何が悪いのか、どうやって否定できるかを知りたい、という気持ちでした。

そういうものが流行った世代というのも大きかったです。私が中学生のときは「援助交際」が流行語に選ばれて、新聞でもブルセラ論争がありました。女子高生の性の乱れが一つのトレンドで、性を使って自分の欲望を満たす、お金を儲けようとか、オヤジにいうことをきかせようとかする女子高生たちが、褒められたものとしてではないけれども、メディアでフィーチャーされていました。その後大学でフェミニズムや社会構築主義、ジェンダー論やセックスワーク論を学んだけれど、現場の空気とそれらの理論がつながっているようには感じられませんでした。私が見てきた現実は社会学の研究室で議論されているものからは、随分離れたところにありました。

私は今でも、そこで出会った、社会の際で楽しんだり幸せを見つけたりしようとする女の子たちの切実な日常を愛しいと思うし、彼女たちを男性支配構造の被害者だと位置づけたがる社会学よりも、その女の子たちが生きる現実の方に愛着があるんです。少なくとも私は自分を正しいなんて思ったことはなかったけれど、被害者だと思ったこともありませんでした。今、かつて私もいた場所で生きる彼女たちを救おうとする実体のない正義が、ときに暴走している印象を受けることがあります。それらは必ずしもその女性を救うとは限らないし、場合によっては居場所を奪うこともある。際にいた人間からひとことつけ加えたい、という気持ちは常にあります。

売春防止法ができたとき、実はそれに一番抵抗したのは遊郭にいた女性たちでした。結婚して遊郭を出た女性が戻ってくることもあるくらい、その場所を必要とする女性もいたわけです。ある日突然、あなたたちは被害者です、と言われて居場所を取り上げられては、抵抗するのは当然です。かといって当事者が望まなければ何も変えないでいい、とはいえません。ここは難しいところです。もしあなたが、どこかの村で年に一回神さまへの生贄《いけにえ》として子どもが殺されていることを知ったら、それが当事者たちにとっては自然なことだったとしても、その儀式をなくすべきだと思うでしょう。当事者にとって大切な文化と一般的な正義は常にせめぎ合っているのです。私は当時の赤線など売春産業が内包していた人身売買をなくすためには廃止運動と売春防止法は必要だったとは思いますが、本当に問題なのは、身体を売らなくては生きていけない社会の構造の方であって、現場に生きる人を罪人や被害者にしてしまう外部の論理は乱暴だとも感じます。誰かを救おうという目的に集中するあまり、現実が見えなくなって空回りする正義は今でも目にすることがあります。自分が正しいと思ったことを実現するのは尊い力ですが、そのことによって追い詰められる人がいるかもしれないという視点を失わないでほしいと思います。

阿毛　性産業の女性はかわいそう、救わなきゃ、という目線があるけど、そういう意味では救われたくない女性たちもいるかもしれない、ということに気づくことが大事ですよね。

良い妻、良い母というだけでなく、バリバリ働いて、社会進出もして、というのが今どきの女性のステレオタイプに加えられて、そういう女性が素晴らしいとなってくると、そのうちのどれかのステレオタイプに縛られて苦しくなっている女性、選択肢がなくなっている女性もいると思うんです。素敵な夫とかわいい子どもがいるけれども不幸せという人もいると思うし、バリキャリで男性より年収も多く稼いでいるけれど何か物足りないと感じている人もいると思うんです。ただ、選択肢を与えられているかどうかが大事だと思います。

アフリカのセネガルでは、一夫多妻制が合法的に認められていて、結婚のときに一夫一婦制にするか２人以上の奥さんをもらう可能性があるかでどちらか選べます。特に地方では夫１人に奥さん４人がいることもあります。村では奥さんたちが朝５時からせっせと朝ごはんをつくったり掃除したりしています。その村に学生を引率すると、それをかわいそうと言う学生もいるし、引率した知識層のセネガル人も、彼女たちが教育を受けていたらもっと進んだ暮らしができるのに、とコメントします。けれど、女性たちは歌いながら掃除したりごはんをつくったり、とても楽しそうにしていることもあるんです。彼女たちが幸せかどうか、果たして彼女たちが教育を受け、都会でオフィスに勤めて一人暮らしできるようになったら今より幸せになるのか、それは彼女たちの主観の問題だと思います。文化や価値観が違うのに外から見て、幸せとか不幸せとか周りが決めるのではなくて、本人たちがどう感じているか、そして、彼女たちがそれ以外の選択肢があることを知って、なおかつ選択できることが大事だと思うんです。

そういう外からの女性の評価やカテゴリー化がいろいろな国にあって、日本にも頑固にあると思います。性産業に携わる女性は家庭を持つ女性とは全く別のカテゴリーとされていたり、同僚の女性はまた別のカテゴリーとされていたり、いまだに女性の生き方がステレオタイプ化されている現状がありますね。

人は「カテゴリー」から自由になれるのか

サコ　カテゴリーって、社会が勝手につくっている可能性が高いですよね。お母さんであり主婦であり性産業にも従事しているという女性もいるかもしれない。

「不自由」から始まった議論ですが、ありたい自分でいいと思うんです、男性も女性も関係なく。私には、なぜフェミニズムという規範をつくるのかという疑問があります。フェミニズムを否定するわけじゃないけど、それで救われる人もいれば、同時に不自由になる人もいると思います。

マリでは一夫多妻制が認められていますが、仕事で活躍したい女性が、家庭では一夫多妻制の第二夫人をあえて選んだりするのです。それに比べると、日本はフレームをつくって固定したがる社会だと思います。主婦とか、バリキャリとか。それがワンフレームだから苦しいんだと思うんです。複数のフレームがあって、逃げ場をたくさん持っていれば、自分の生きやすい環境づくりができますよね。なのに、日本は一つのフレームで、その役割を果たすよう社会からの期待があって、自分もそれを演じようとする。例えば、主婦の女性に対して、社会は主婦というフレームでしか見ない。でも、その人は違うフレームも欲しいですよね。そういった一つのフレームでしか見ないのが不自由の原因なんじゃないかと思うんです。

マリは人と人との関係性がとてもオープンなんです。コミュニティのなかで自分のことをオープンにするから、それぞれがお互いによく知っている。だから守られるんです。例えばこの前、なぜか「パパ活についてどう思いますか」と学生から質問されたんですけど、マリならみんなが自分を知っているから、オジサンは変なことできないし、女の子のことも地域のみんなが知っているからみんなで守れるんです。でも、日本では、期待されているフレーム外のことは、親にも誰にも言えないってなる。そういうオープンにできない環境が、自分らしささえも不自由にする一つの原因じゃないかと、私は解釈しているんです。

そういう意味で、鈴木さんは既存のフェミニズムに反抗的かなと思っていて、それでウーマニズム、さらにその先へと言ったんです。

阿毛　最近の学生は、社会からあなたたちは自由に生きる選択ができますよ、と言われてるのに、私はこういう人生を生きたい、と確固たるものがある人は少ないです。いろいろ考えて迷子になっていて、自分の意見がないと責められる世の中です。学生のうちから、あなたはどう生きたいですか、と社会から求められるプレッシャーがあるにもかかわらず、学生にとって社会から与えられたフレームから自由になるためのガイドラインはないんですね。不自由な条件のなかで「自由な」意思表示をしなくてはならないという不合理さがあるんです。だから、鈴木さんのお話は、学生にとって刺激的だと思います。与えられた「フレーム」を破ったときどう生きられるのか、という意味でも。いろんなタブーや女性の生き方を考えていくのがこの自由論の面白さだと思います。

鈴木　女性には妊娠する性に生まれたことによる不自由がどうしてもあります。女性と自由の問題は、最終的にリプロダクティブライツの問題に凝縮されると思います。２０２２年はリプロダクティブライツについて大きな動きがあった年で、アメリカで人工妊娠中絶は違憲だと最高裁の判決が出て、中絶を女性の権利と位置づける近年の常識が、49年ぶりに覆されました。自由の国を謳《うた》うアメリカで今でもそういう判決が下されるという事実には本当に驚きました。

日本では、これまで母体保護法で人工妊娠中絶には相手の同意が必要と決められていましたが、２０２１年からそれが不要になりました（※2）。他にも匿名出産の事例が報道されたり、私が勤めていた歌舞伎町のビルのはす向かいのコインロッカーに子どもが捨てられていた（※3）という事件があったりして、再び赤ちゃんポスト（※4）の是非を巡る議論も巻き起こっています。赤ちゃんを産んで育児放棄や死体遺棄をしたら母親は捕まり、大きな罪に問われます。でも、父親の方は罪には問われない。女性が一方的に妊娠の責任を負わされることは問題視されるべきでしょう。

サコ　こども家庭庁が設置されて、子どもの権利を守ろうとしていますが、子どもの目線で考えるか、お母さんの目線で考えるかで、違ってくると思います。鈴木さんがおっしゃるように、そういう問題を女性が一人で抱え込んでしまって、男性が出てこないんですよね。社会が責めるのも女性ばかりで、男性は何も言われない。そういうところが日本は不十分です。その前の段階で、女性が大事にされていないと思います。日本に来たとき、ピルが市販薬として解禁されていないことにも驚きました。女性を守ろうという意識と対策が不十分だと思います。

鈴木　欧州ではすでに一般的な経口中絶薬も日本ではなかなか認可されず、いまだ導入が進んでいません。女性差別だけでなく、病院の既得権益の問題もあると思いますが、いずれにせよ、既得権益や権力を持っている側、例えば厚労省や医師たちもいまだに圧倒的に男が多いわけです。男性が圧倒的多数の場で物事が決まるから、女性の権利や選択肢がなかなか増えないという構造的な問題もある気がします。

最後に、自由の困難について触れておきたいと思います。誰かの自由が別の誰かの自由を侵害することがあるからこそ、自由とは何かを考え続ける姿勢は大切です。その際、自分の信じる価値観に基づいて社会の間違いを指摘したり、正しいと思うことを伝えることは尊いけれど、その価値観も一つの可能性にすぎないということは、忘れないでほしいですね。自分の価値観を批判する人がいたときに、戦うことが必要なこともあるかもしれないけど、戦うより前に別の価値観にも耳を傾け、自分の正義は誰の自由を侵害するのか考え続けるべきだと思います。気をつけておきたいのは、正しいとされていることや信じられている善悪の基準はものすごいスピードでどんどん変わっていくということです。30年前のメディアと今のメディアでは、カッコいいとされること、ダサいとされること、悪だとされること、正しいとされることは大きく違ってきています。今目に見えている世界は世界の一部でしかないこと、信じている価値観が絶対ではないこと、30年後には否定されるかもしれない可能性があることこそ、歴史から学ぶべきだと私は思います。

※1　**ウーマニズム**　フェミニズムの一形態で、有色人種、特に黒人女性の人種・階級・ジェンダーの抑圧をなくそうとするもの。フェミニズムが中流から上流階級の白人女性によって支配されてきたことへの反発で、フェミニズムに人種と階級の問題を含めたもの。

※2　**人工妊娠中絶**　日本産婦人科医学会が、未婚の場合や性犯罪などに巻き込まれて妊娠した場合、同意は不要という法律の適切な解釈を研修会などで周知する方針を明らかにした。

※3　**歌舞伎町の事件**　2018年5月29日、新宿・歌舞伎町のラブホテル街にあるコインロッカーから乳児の腐乱死体が発見された。容疑者は25歳の風俗嬢で、約2年にわたってホームレス同然の生活をしており、マンガ喫茶で出産して殺害し、コインロッカーに遺棄した。

※4　**赤ちゃんポスト**　熊本市の慈恵病院に設置されている「こうのとりのゆりかご」で、親が育てることのできない赤ちゃんを匿名で託すことができるシステム。2007年から運用され、熊本市のまとめによると2017年5月時点で計130人の子どもが預けられている。2019年からは母親の身元を明かさない内密出産も受け入れている。

「人類」と自由

第7章

◈ 山極壽一（霊長類学者）

1952年生まれ。京都大学教授、第26代京都大学総長を経て、総合地球環境学研究所所長。霊長類研究、ゴリラ研究の第一人者で、ゴリラの行動や生態をもとに人類に特有な社会特徴の由来を探る。日本霊長類学会会長、国際霊長類学会会長を歴任。『家族進化論』（東京大学出版会）、『京大総長、ゴリラから生き方を学ぶ』（朝日選書）、『京大というジャングルでゴリラ学者が考えたこと』（朝日新書）、『猿声人語』（青土社）など、著書多数。

人類の脳を大きくさせたものとは

私は霊長類研究者として、言語を持たないサルやゴリラのフィールドワークをしてきました。それが、人間が言葉を持つことによってどう発展してきたか、探る鍵になるからです。人間だけが持っている言語というものは、実はコミュニケーションとしては不完全なものなんです。なぜなら、言語は社会的文脈に依存しているからです。社会構造や認知機能によって、社会的文脈が異なるからです。例えば、同じ言葉でも、子どもに話しかけるのと、他人に話しかけるのでは違ってきます。言葉をいくら正確に翻訳しても、文化によって意味が変わってきます。言葉の持つ社会的文脈や意味は、文化に依存しているのです。

世界にはさまざまな気候があります。熱帯雨林は霊長類の進化の出発点となった場所で、現在地球上に生息している霊長類は、約４５０種います。熱帯雨林は霊長類である人間の故郷でもあるんですね。日本列島にもサルが生息していますが、人間以外の霊長類がいる北限です。かつての地球の気候はもっと温暖で、以前はもっと北の方、ヨーロッパの方まで霊長類がいたんです。６５００万年前は平均気温が高かった。それが、７００万年前に人類が出現してから、どんどん地球は寒くなっていきました。その時代にアフリカの熱帯雨林で生き残った類人猿が、チンパンジーやボノボ、ゴリラです。ボノボはチンパンジーの一種なんですが、ゴリラともチンパンジーとも生息域が違います。７００万年前には人類が現れ、直立二足歩行をして自由になった手で食べ物を運ぶことができるので、熱帯雨林から草原へ出ていったのです。２００万年前には、ホモ・エレクトスが出現しました。脳が大きくなって、石器を使用し、アフリカ大陸を出てアジアとヨーロッパへ進出しました。

人間だけが言葉を話すから、記憶量が増えて、脳が大きくなった、と思うかもしれないけど、それは本当でしょうか。言葉は7万〜10万年前にできたので、ホモ・エレクトスが出てきたときよりもずっと後です。60万〜40万年前にいたホモ・ハイデルベルゲンシスは、ホモ・エレクトスよりさらに脳容量が大きく、20万年前に出現した現代人（ホモ・サピエンス）とほぼ同じ脳容量でした。言葉が使われるようになったのは、脳が大きくなった後です。となると、言葉は脳を大きくした原因でもないし、推進力でもない。では、何が脳を大きくしたのか。イギリスの進化人類学者ロビン・ダンバーの『ことばの起源　猿の毛づくろい、人のゴシップ』（１９９８年、青土社）によると、類人猿の脳を調べると、大きな群れで暮らす霊長類ほど、脳が大きくなっているんです。つまり、付き合う仲間の数が増えるほど脳が大きくなっていて、脳は「社会脳」として大きくなったのではないか、という説（社会脳仮説）

です。

ダンバー数が示すもの

ダンバーによると、現代でも農耕牧畜をせずに自然の恵みだけに頼って暮らしている狩猟採集民は、平均１５０人で暮らしていて、その１５０という数が、人間が安定的な社会関係を維持できる人数の上限（ダンバー数）だといいます。７万〜10万年前に言葉を使い始め、食料生産を始めて集団の規模を大きくし、今は何千人、何万人という社会に暮らしていますが、脳の大きさは変わっていないのです。

人間の集団規模によってコミュニケーションは違ってきます。

10〜15人は脳が大きくなる前のゴリラと同じ規模の集団で、言葉がなくても成り立ちます。例えば、サッカーは11人、ラグビーは15人で試合をします。プレー中はほとんど言葉を交わせないから、身振り手振り、体の動きをお互いに見合って、チームプレーが生まれます。ゴリラも言葉がないのに、一つの群れが生き物のようにまとまって動ける。体の共鳴によってまとまって動けるんですね。

30〜50人というのは人類の脳が大きくなり始めたときの集団サイズです。それぞれの顔や性格や体の特徴を熟知できて、誰かいないとすぐ分かり、かろうじて分裂せずに動ける規模です。学校のクラス、会社の部や課、軍隊の小隊などの規模です。

１００～１５０人は、信頼できる仲間の数の上限です。悩みを抱えたときに相談できる相手の数で、過去に身体の共鳴によってつくられた仲間です。例えば、スポーツや共同作業、喜びや悲しみを一緒にした経験です。それをソーシャル・キャピタル、社会関係資本といいます。言葉はそのソーシャル・キャピタルの外にいる人とコミュニケーションを取るために発明されたものだと思います。１５０人以上になると身体以外の指標が必要になって、それが言葉なのではないかといわれています。

言葉以前のコミュニケーション

では、言葉以前には、どんなコミュニケーションがあったのか。

類人猿に見られるのが対面交渉です。ただ、サルは対面交渉ができません。相手を見つめるのは強いサルの特権で、見つめ返すことは威嚇になるからです。弱いサルは視線をそらして、歯茎を出して見せて、相手に敵意がないことを示します。一方、ゴリラは対面交渉をします。10センチから20センチくらいのすごく近い距離で見つめ合います。遊びの誘いだったり、交尾の誘いだったり、仲直りするときにもします。チンパンジーも対面交渉をします。人間もしますが、ゴリラやチンパンジーと比べると、1メートルくらい距離を取る。なぜ距離を取るのか。その秘密は目にあります。

ゴリラからテナガザルまでいろいろな類人猿がいるけど、どれも目は黒目だけで白目がないんです。瞳の外側は皮膚と同じような色で、白目があるのは人間だけです。白目があると、微細な目の動きをモニターできます。つまり、目を見て相手の気持ちを読むことができるわけで、これは人間だけが持つ、親から教わる必要もない生まれつき持っている能力なんですね。世界中の人が白目を持っています。これは現代でもとても重要です。例えば就職活動で、どの会社も面接をしますよね。重要なことはすでに書類に書いてあって分かっているのに、相手の品格や性格を読むために面接をするんです。我々は相手の気持ち以上のことを目から得ているんですね。気持ちを読む、共感能力を高める必要があったから、白目ができたわけです。

なぜお互いの気持ちを読む必要が生じたかというと、人間は共食を始めたからです。熱帯雨林を出て草原へと進出した人類は直立二足歩行を始めて、自由になった手で食べ物を分配して一緒に食べるようになったのです。チンパンジーやゴリラは食物がある場所でしか分配しません。サルは食物を分配しません。ゴリラやチンパンジーは時折食物を分配しますが、食物を運ぶことはありません。

じゃあ人間はどうするかというと、食物を採集したとき、その場で食べずに、自分の必要以上の量を集めて、仲間のもとへ持ち帰り、仲間と分配し、仲間と一緒に食べるんです。そして、食物が仲間との関係をつくります。食事がコミュニケーションの道具になってるんです。食事は共感能力を育む場です。食べ物を分けるのはケンカが起きやすい状況で、ケンカしませんよ、という前提で食べるわけです。

人間の共感力を発達させた子育て

もう一つ、人間が共感能力を高めた背景には、子育てがあります。ゴリラの赤ちゃんは、小さく生まれて大きく育ちます。成熟するとオスは200キロ、メスは100キロくらいですが、生まれるとき赤ちゃんは1・6キロくらいです。そして、3〜4年間お乳を飲んで育ちます。お母さんは赤ちゃんを一時も離さないで、1年間は腕のなかで育てます。だから、ゴリラの赤ちゃんは泣きません。離乳して少年期になるのは5歳くらいです。その頃には50キロを超えます。大人と同じものを食べるけど、繁殖力はない少年期です。

ゴリラに比べると、人間は約3キロの大きな赤ちゃんで、乳離れは1～2歳です。しかし、人間は6歳にならないと永久歯が生えてこないので、離乳しても大人と同じものが食べられません。華奢《きゃしゃ》な乳歯で食べられるような特別なものを運んでこなければならないのです。それが人間だけにある子ども期です。さらに少年期を過ぎると、今度は青年期がやってきます。この青年期も人間にしかありません。青年期は繁殖力があるのに、繁殖できない時期なのです。ゴリラやチンパンジーには子ども期も青年期もありません。赤ちゃんから、少年期、成年期、老年期だけです。

なぜ人間の赤ちゃんは乳歯のうちに離乳してしまうのか。それは人間の祖先が熱帯雨林を出たことに起因します。熱帯雨林を出て草原で暮らすということは、肉食動物に食べられる危険がある。だから、子どもをたくさんつくって人口を減らさないようにしないといけないんです。しかし、おっぱいをあげているとプロラクチンというホルモンが出て、妊娠できない体の状態になります。だから、早く離乳することで次の子を産むことが大事だったのです。

では、なぜ人間は重い赤ちゃんを産むのか。ゴリラの赤ちゃんは体脂肪率が5％以下で、ガリガリに痩せています。それに比べると、人間の赤ちゃんは体脂肪率が15～25％もあり、類人猿の3～5倍もあります。赤ちゃんの脳の発達を分厚い体脂肪で守っているからです。

脳はエネルギーをものすごく必要とする器官なので、栄養の供給が滞ったときに、脂肪を燃やして脳を守るのです。そして、人間は脳の成長を体の成長よりも優先したんですね。新生児の脳は1年で2倍、5年で大人の脳の90％になり、12～16歳まで成長します。脳の方が早く成長するので、体の成長が脳に追いつくまで時間がかかります。その期間が、思春期スパートです。女子は10～18歳、男子は12～21歳です。この青年期は、子ども期や少年期に比べると、死亡率が高くなっています。これは時代や民族、文化の違いを超えて、人間という生物に共通の特徴です。この人間だけに特有の子ども期と青年期を、母親だけ、あるいは母親と父親だけでは支えられないから、複数の家族で行う共同保育が成立したと考えられます。

人間の赤ちゃんはよく泣いて、よく笑います。それは共同保育をしてもらうためです。人間の赤ちゃんは重くて自力でお母さんにつかまれないので、お母さんが赤ちゃんを手から放してしまいます。だから、赤ちゃんはさまざまな人の手によって育ててもらわなければなりません。泣くのは自己主張で、笑うのは誰からも愛されるためです。共同保育は人間にしかない社会性なのです。

私は、音楽は共同の子育てをするために生まれたのではないかと考えています。世界中のどの民族でも赤ちゃんに語りかける言葉は、ピッチが高く、母音が長めで、変化の幅が広く、繰り返しが多い、という共通の特徴があります。これには一体化する効果があり、赤ちゃんとお母さんが離れて育児をするなかで、社会の同一性を強くするための共同の歌に発展したのではないかと考えています。

音楽的なコミュニケーション、つまり共同の歌と踊りにより、人間に共感力ができて、その後に言葉ができたと考えられます。

言葉がもたらしたもの

農耕や牧畜が始まった１万２０００年前には、人類は地球上に５００万人くらいしかいなかったわけですが、産業革命を経て爆発的に増えて、現在では80億人を超えています。

その原動力になったのが言葉です。言葉は見えないものを見せることができ、重さがなく持ち運び可能で、名前をつけて分類することもできるし、違うものを一緒にすることもできる。物語をつくって共有する力があり、想像し、創造する力があり、架空のものを描く力があります。その言葉を使って、人間は共感力を高めて社会力を強化してきました。

しかし、注意しなければならないのは、社会が拡大しても信頼できる仲間の数は増えていないということです。仲間意識は外への敵意によって強まります。言葉は情報を伝えますが、気持ちを伝えるには不向きです。そして、言葉は分類と比喩によって差別をつくるのです。

その例が、ゴリラへの誤解です。かつてヨーロッパ人がアフリカに入ったとき、初めてゴリラのドラミングを見て、怖く見えたのでしょう、宣戦布告と誤解したのです。ドラミングの本当の意味は、自己の提示であり、興奮と好奇心、対等性の維持、遊びの誘いです。しかし、映画『キング・コング』（１９３３年）に代表されるように、ゴリラは悪者と見られてきました。そうした動物への誤解は人間にも及びました。19世紀、アフリカ大陸は暗黒大陸と呼ばれ、アフリカの人々は土人、蛮人と呼ばれたのです。

もう一つ、私たち人間だけが身につけた能力に、模倣能力があります。真似るということはとても高度な能力です。「猿真似」といいますから、サルは真似が得意と思うかもしれませんが、例えば、サルは子どものうちから食べ慣れたものでないと食べません。新しい行動を教えようとすると、真似できるようになるまでには時間がかかります。仲間の行為をすぐに真似ることができるのは、人間だけの能力なのです。

私たち人間は、模倣能力、共感力、対話力を身につけて、言葉によって文化をつなぎ、異なる出自や個性を持った人々が共存できる社会をつくったはずでした。しかし、現実はそうなっているでしょうか。

何万年もの間、人類は話し言葉だけでコミュニケーションをしていたところに、文字ができて、電話ができて、インターネットができて、爆発的に情報量が増えています。人間の意識の方は、数万年前に脳の大きさが止まったときのまま、直感や情緒的社会性を残したままなのに、知識の方は情報になって人工知能に分析され、虚構の世界をつくり出しました。例えば車のナビゲーションシステムが虚構の世界です。現実の世界では犬が出てきたり、知り合いが手を振ってきたり、いろいろあるわけです。それにナビは対応できません。

今起こっているのは、文化の無国籍化です。世界中に張り巡らされたプラットフォームで文化が均質化し、一元的な価値観のもとに格差が広がっています。世界中の人々がより良い暮らしを求めて移動し、地縁が希薄になっています。人は人を信用するより、制度やシステムを信用するようになっています。今、私たちは現実よりもフィクションに生きているのです。

「遊動の時代」へ

考え直さなければならないのは、命と命のつながりを正しく認識して、その上に新しい人間の暮らしを築くことです。新しい縁というものをつくらなければならない時代なのです。人間の本質とは、共食と共同保育を通じて高めた共感力、音楽的コミュニケーションで結びついた身体の共鳴による社交、重層社会の成立に対応した高い認知能力、自然の多様性に立脚した文化の多様性にあります。人間の心身は、本来、小規模な社会の暮らしに適応していて、言葉は複数の文化をつなぐ役割を果たしましたが、言葉だけでは信頼関係は築けないのです。言葉はデジタルのようなもので、音楽のような流れをつくりにくいのです。

評論家の故・山崎正和さんは、『社交する人間』（2003年、中央公論新社）のなかで、「文化とは人間が行動をリズム化しながら生きる生活を基盤として成立する」と述べました。これは私が、共同体が音楽的コミュニケーションによって成り立つと考えていることに通じています。文化はその地域に独特な祭りの音楽、食事や服装、言い回しや作法といった、まさに暮らしにおけるリズムによってできています。山崎さんは、このリズムで参加者が場を盛り上げる行為が社交だと言っています。ですから、オンライン上では社交は不可能なのです。

人間の社会は、移動する自由、集まる自由、対話する自由によって共有されてきました。出会いと気づきを繰り返して、未来をつくってきたのです。しかし、新型コロナウイルスによるパンデミックで、私たちは移動する自由も、集まる自由も、対話する自由も制約を受けてしまいました。そのかわりに出てきたのがＤＸ化、デジタル社会です。モノと人との情報化、均質化、スマート化が進み、人工知能による人間の評価と選別が始まりました。例えば、過去に一切犯罪を起こしていないのに、犯罪多発地帯で生まれると、それだけで犯罪可能性が高い人間とされてしまう、そういう時代です。

じゃあ、我々はどうしたらいいのか。我々は「遊動の時代」にさしかかっています。人もモノも動く時代です。仕事もテレワークやワーケーションすることが可能になりました。移動が常態となれば所有物を極小にして、現場調達やシェアをしていきます。狩猟採集民的世界観が復活します。仕事も単業から兼業になり、多業になっていきます。単線型人生から複線型人生になって、お金よりも暮らしを優先、贅沢よりも安全を優先、所有よりも行為に価値を見《み》出《いだ》す社会になっていきます。そういう価値観がすでに広がり始めています。子ども食堂はその好例で、食べ物を分かち合う共助の社会です。その結果、シェアとコモンズが増えていくでしょう。インターネットはすでにシェアの舞台になっています。医療も国民皆保険に、教育も無償化されていくだろうと思います。車もカーシェアになって、家もシェアハウスがあって、衣食住のシェアを目指していく社会になっていくでしょう。お金をばらまいて使う消費経済じゃなくて、交換・贈与経済を目指していくことで、共助の社会を実現していくことになるだろうと思ってます。

　教育とは贈与です。直接的な利益を求めないで、社会や世界へ開かれている新しいコミュニティになると思います。性や年齢や国籍に関わりなくいろんな人が集まるコミュニティです。だから、そういう場所である大学で、みなさんに考えてほしい。我々人類が進化してきたなかで生まれた自由と差別について、考えてほしいと思います。

山極壽一×サコの議論

サコ　山極先生がおっしゃったように、私も最近、コモンズ、ってよく言ってるんですけど、人間ってリーダーをつくって指示したがります。今、当事者同士が話し合っていこうというコモンズが多くなっていると思うんですけど、そうすると自分たち以外の人を見下してしまいがちです。自分たちの弱さを守るためなんだろうけど、それだと、いくら新しいコミュニティや新しいルールをつくっても、また人間は差別を繰り返すんじゃないかと思うんです。

山極　今は都会に住んでいる人が多いですよね。私もそうだし、京都精華大の学生さんもそうです。でも、本来、人間は一人で何でもできる狩猟採集型なんです。それなのに、都会というシステムは、一人では何もできない人間をたくさんつくっています。何でも仲間にやってもらって、制度が供給してくれるものにぶら下がっています。だからシステムから外れることが怖くなっちゃう。その怖さが差別をすることにつながっているから、それをもう一度考え直さなきゃならないんです。本当はシステムにぶら下がらなくても、自分で椅子もつくれるし、家もつくれるんです。資本主義は農耕牧畜以降に出てきたシステムで、これまではうまくやってこれたかもしれないけど、21世紀はその限界値を超えたと思ってます。コロナによるパンデミックも生態系を壊してきたために起きたんじゃないかと思うんです。日本では30年間給料が上がらない低成長の時代が続いたけれど、今、資本主義に代わるものができる転換期に来ていると思います。

サコ　これからの世界が変わっていくときに、自分たちを否定して新しいものをつくるのか、自分たちを否定しないまま正していくのか、どっちの方向でいくか注目しています。ヨーロッパでは共感を超えて、心を響き合わせる「レゾナンス」こそが人間の幸せにつながるといわれ始めています。いずれにしても我々の人間や自然との付き合い方に問題があったわけで、人間が何者なのか、見えてきた気がします。

「公共」と自由

第8章

◈ ウスビ・サコ

ここまで、さまざまな議論をしてきました。これまでの章で論じてきた内容は、集団的自由より、個人に問いかけられるものが多かったと思います。そこで分かったのは、自由とは個人一人のものではないということです。自由とはみんなが持つもので、あなたの自由と私の自由の境界線がどこにあるのかが問題で、自分にとっての自由は他人の自由を侵害することになる、ということも見えてきました。

一方で、自由を大きく捉えようとすると、集団的自由や人権につながります。人権の話もいろいろと出ましたが、人権とは本来、人間が生まれながらに持っている権利ですよね。誰でもどこでも保障されるべきものなのに、一部の人にはそれが保障されないこともあります。フォトジャーナリストの吉田亮人さんから教えてもらった少数民族の事例など（※1）もありました。我々があたりまえにあると思っている自由が、少数民族など一部の人たちには保障されていない現状があります。その人たちに問題があるわけではなく、我々が人間社会のなかでそういう状況をつくってしまったことが背景にあるといえます。

パブリックアートにおける議論

そこで今回扱いたいのが、「公共性」の話です。みなさんはどう思われているか分からないですけど、私は最近、公共性について興味を持って考えています。

公共性とは我々みんなを指す概念でもあるんですけど、時代や場所によって変わってしまうものでもあります。石井潤一郎先生（京都精華大学共通教育機構講師。美術作家。アジア・中東・欧州など20カ国以上でアートを発表）が教えてくれたアートシーンを例にあげましょう。パブリックアートについていうと、現代の三大アートフェスティバルとして、イタリアのヴェネチア・ビエンナーレ、ドイツのドクメンタ、ドイツのミュンスター彫刻プロジェクトがあります。

ミュンスター彫刻プロジェクトは、１９７３年に彫刻展が行われたのが最初です。このとき、ジョージ・リッキーという現代アーティストの彫刻が街に設置されたのですが、市民が「こんなのは彫刻じゃない、撤去してほしい」と言ったんです。美術館の専門家はこれがいいアートですよ、と言ってパブリックスペースに設置したわけですけど、地元の人たちはこんなの要らないという。大事なのは、誰のためのアートか、誰のためのパブリックか、ということです。ニューヨークでも、リチャード・セラという作家が「傾いた弧」という鉄板が倒れそうになっている彫刻を広場に設置しましたが、これも地元の人たちから撤去してほしいという声があがりました。１９８１年のことです。こういった「パブリックアートとは何か」という議論は昔からありました。

パブリックアートとは、公共空間でアートを行うものです。では、その公共空間とは誰のものなのか。価値観の異なる人たちが集まって公共の場をつくっているわけです。あるグループにとってはアートだけど、あるグループにとってはアートじゃない。そこでどうやって「パブリック」というものを定義していくか、議論されてきました。

落書きかアートか、ミューラルアートを巡る論争

そもそも公共空間って何でしょうか。誰のものなのか、なぜあるべきなのか。

例えば、サンフランシスコのメキシコ系移民が住んでいるミッション区域では、自分たちの世界観を建物の壁面に表現しているアートが多く見られます。道に面した建物に、自分たちの世界観を描くということに価値があると、街全体で認識が共有されているんですよね。みんながそれを認めていて、誰も反対しない。落書きなら犯罪になるけど、ちゃんと許可をもらって描いて、ミューラルアート（ウォールアート）と呼ばれる文化になっているんです。

このように、一部の人たちだけの価値観だったものが変化して、一般化してきています。

かつては怖い街というイメージだったニューヨークのハーレムでも、このミューラルアー

トが盛んで、今は若いアーティストやデザイナー、ＩＴ系の人が住むオシャレな街になってきています。今、ハーレムは全米でも一番ホットな街になっているんです。家賃が高くてなかなか借りられない状況です。こういった地域における居住者の階層が上位化する現象は、ジェントリフィケーションと呼ばれています。今紹介したサンフランシスコのミッション区域もそうです。シリコンバレーからＩＴ系の人たちが移り住んできています。めっちゃ高いコンドミニアムとかを建ててるんです。これに対して、住民の人たちはミューラルアートを使って、反対運動を起こしています。

そこで、そもそもパブリックって誰のものなのか、誰が管理するのか、誰のためのものか、という疑問が出てきます。「それはみんなだ」と答えたときに、公共性の理解の仕方によって解釈が違ってくるのが、面白いところだと私は思っています。

例えば、この前ニュース番組に取材されて私もコメントしたんですけど、横浜で商店街の壁やシャッターにゲリラ的に落書きされるのが問題になってるんですね。お店の店主は「非常に恥ずかしい」とかコメントしてるんですけど、「これはアートなんじゃないか、認めましょうよ」という声も出てきているんです。「公共」の捉え方は、我々の私的空間の延長なのか、一定のルールを守るべき公の場なのかによっても違ってくると思うんです。

公共性が喪失しつつある現代

今、世界中で公共性が喪失しつつあるんじゃないかという議論になっていて、公共性を再考しようという動きがあります。それはニューヨークで女性の胸部露出が解禁になったことがきっかけです（※2）。街中とか公園とか、公共の場で女性が胸部を露出しているんです。パリでも女性が胸を露出する姿はよく見られますが、その人たちは「それが自由だ、日光浴をしているだけで、男でも女でも関係ないじゃん」と主張するわけです。それでもう一度公共性について考えようという議論になったんです。

アメリカの社会学者のリチャード・セネットが『公共性の喪失』（晶文社、１９９１年）のなかで明らかにしていますが、公共性が成立したのは結構最近のことで、18世紀です。

昔は公共という言葉はあまり使われなくて、都市文化が発展するのと同時に公共性も生まれました。田舎はもともと地縁的社会で、みんながお互いを知っているから、公共という概念が生まれにくい。ところが、都市が急激に発展すると、広場とか公園とか劇場とか、公的な空間に出たときのマナーが必要になりました。例えば、昔は公園に行くときには、自分にとって一番良い服を身にまとい、あいさつなどのマナーを守り、礼儀正しい振る舞いをしたわけです。セネットによると、18世紀の都市では公的な場における服装や立ち居振る舞いを見れば、その人がどういう人間であるか、どんな職業か、すぐに分かる仕組みができあがっていたんですね。そしてお互いを尊重し合う空気みたいなのがあったわけです。そうすると、パブリックの場に行ったら、自分の立場があるから、自分はこんな人間ですという演技をするようになっていくわけです、舞台のように。それを見て、この人はお金持ちだな、この人はお医者さんだな、この人はあまりお金を持ってないな、とか判断するわけです。つまり公共の場とは、社会構造が確認される場所だったんですね。

ただ、それに反発する人も多かったのです。なぜならそこで差別の構造が繰り広げられていたからです。そのため19世紀になると、人々は公の場で、自分の個性を隠すようになりました。工場で生産された既製服を着るようになって、地味なファッションで身を包んで、自分の属性が不本意に露見しないようにしたわけです。

私が感心したのは、ロンドンのハイドパークの公共性です。ぜひみなさんにも行ってみてほしいのですが、そこではみんな、自分がどんなことを考えているのか、自由に議論をしているんです。でも、お互いを否定しないんですね。例えば「ジーザス（神）なんて存在せえへんし、マリアなんて妊娠しなくてどうやってイエスが生まれるん」って、バーッと話してる人もいれば、「イスラム教って何なん」って話してる人もいる。そうやって議論するんですけど、その場で殴り合いのケンカにはならないんですね。

ある意味、本来あるべき公共の場の姿になっていると思います。自分の社会的立場を立ち振る舞う場所から、今は職業や人種や宗教などに関係なく自由に話ができる市民の場所、みんなの場所に変わったんです。ヨーロッパのそういう流れは、「コモンズ」にもつながると思うんですね。ただ、「みんな」という言葉には、実は同調圧力が含まれています。「みんなと同じように」となっていくことには、気をつけなくてはいけない。

話を戻すと、セネットは、19世紀が構造の転換になったと言っています。

2025年に大阪・関西万博が開かれますけど、もともと万博は、産業革命以降のロンドンで1851年に開催されたのが最初です。それから、フランス革命以後のパリでさまざまな物品を集めて展示する博覧会や、デパートの誕生のきっかけをつくった博覧会が開催されてきました。それまでパリの小売店では店員と客の関係性のなかで共同作業をしながら客が主体的に買い物をしていたのが、デパートでの買い物では、個人的で受動的な経験となっていったんです。例えば、帽子を買うなら、それまではお店に行って、頭のサイズを店員さんが測るところから始まります。そうやって関係性が生まれるわけですね。それが、今はMサイズやLサイズしかなくて、それを買うしかないわけです。第1章でも話したけど、資本主義とは大量生産です。だから、Mサイズ、Lサイズの同じ規格とデザインの帽子が大量につくられて、我々の選択肢は少なくなって、受動的になるわけです。デパートも公共空間ではありますが、個人的なつながりがなくなっていって、大きい意味で観客（客）とパフォーマー（デパート側）に明確に区別されるわけです。観客はパフォーマーによって演じられる個性を黙って見聞きするだけの存在となって、セネットがいう「まともな観客」が誕生したわけです。

　大衆に個性がなくなって、個性に飢えた状態になると、公的領域への個性の侵入が強く求められるようになります。そうすると、ナルシシズムや破壊的ゲマインシャフト（ゲマインシャフトとはドイツ語で地縁的、村的、みんなの共同体という意味）への道をひらくことになります。それまで生活のなかにあった公的領域は、個人や家族関係を軸とする私的領域に代わられてきて、公共的活動が矮小《わいしょう》化されて、個人は社会の見物人であり、産業資本市場社会でのナルシストになっていくわけです。明らかに共同体というものが分かれていて、一つは地縁的なところ（ゲマインシャフト）があって、もう一方に社縁的なところ、契約などに基づいたところ（ゲゼルシャフト）があるわけです。

現在、自信を喪失した人々は私的領域へと逃避しています。つまり、公共領域が怖いな、と感じる人が出てきているということです。その人のなかでは私的領域が大きな意味を持つことになります。すると、都市が空洞化していく構造につながっていきます。

それによりどういうことが起こるか。私的領域の延長が公共領域になっちゃうんです。私がアメリカの都市部で見た光景では、家で着ているようなパジャマ姿で、片手でサンドイッチを食べているような状態で、そのまま地下鉄に乗ってるような人がいました（※3）。自分の聴きたい音楽を周りにたれ流しながらパブリックの場面に出ていって、周りの人は誰も聴きたくないのに、大きな音量で流しているわけです。それが自分なんだ、自由なんだ、とその人たちは思っているわけです。

自由を語るときに、自分個人のやりたいことをやるのが自由なんだ、と思い始める人がいるんですよね。我々が公共を語るときに難しいのは、こういう個人の行動制限をすることが公共なのか、ある個人が入ってきたときに他の個人に合わせるという同調的なものが公共なのか、あるいは、もっと個人をリスペクトして、ある程度個人の社会的立場を分かろうとするものなのか、そういった前提をどう捉えるかという点です。

大学というコモンズ

そこで、ここからはコモンズとしての大学キャンパスを考えていきたいと思います。

私が京都精華大学に来たのが２００１年です。その前にいた京都大学でも、個性的な人、変わった人が多くて、何なんだろうなと考えさせられるような人が結構いたんですけど、精華大に来たら、そういう人が倍以上に増えた感じがありました。

印象に残っているシーンが三つあります。一つ目はいきなり池に飛び込む人です。「飛び込んでどうすんねんって思うし、しかも冬なんですよね。何がしたいのかよく分からない。でも、その人にとっては、池に飛び込むのが自分のアイデンティティだというんです。もう一つは、食堂前にドラム缶を持ってきて、薪で火を焚いて、五右衛門風呂をやってる人たちがいたんですよね。しかも、我々がランチを食べている前で、男女ともに裸で入るんですよ。それから、もう一つ。池のところに階段があって、たくさんの人が座ってたんですけど、そこに座っていた女性が、何を語っていたかは忘れたんですけど、とにかく熱く語ってたんですよ。そしたら、熱く語りすぎて暑くなったと言って全裸になって、語り続けたんです。語ってる内容に関心はなくても、そのシーンを見に来る人が出てくる。そういうのはいけないんじゃないかと、一部の教員たちの間で議論にもなりました。

私が今でも付き合いがある卒業生も印象深いです。彼はバスケ部だったんですが、彼らの精華大生としての一つのアイデンティティは「パブリックの場所で全裸になることだ」と言うんです。ガラス張りのお店で食事をしながら、「すごく暑いね」って言って、全員全裸になってメシを食うんです。店からは通報されて、私が当時学部長だったので、いろいろ大変だったと現場の苦労を耳にしました。今でもその人と会うんですけど、なんであのときそんなことをしたのかと聞くと、社会に対して自分たちの存在を認めてほしかったと言うんです。社会から期待されたことをそのままやるのでは、それは精華大らしくない、自分たちらしくない、とこの人は言うんです。


精華大はそもそもコモンズに対してポリシーはないんですけど、みんなのコンセンサスをどうつくっていくのかは、結構大事にしています。

コモンズとは何かというと、もともとは、誰の所有地でもない共同利用できる放牧地という意味です。それが転じて「21世紀型のムラ社会」といわれるような共同体や共同施設（社会的財産）のことも指します。大学のコモンズとは、学生の学習支援を意図して、大学に設けられた場所や施設です。大学のコモンズは、ラーニング・コモンズから始まったらしいですけど、情報を知識に、知識を創造に変えていく空間で、さまざまなヒト・モノ・コト・情報と出合い、それらを仲間とともに議論し展開していくことで、新しい学びの可能性を生み出していく場所、というふうにいわれています。

私は、究極のコモンズとは京都においては道空間だなと思っています。私の専門の空間人類学の観点からも、京都の鴨川沿いは面白いコモンズです。鴨川沿いにカップルや仲間とか友達同士とか親子とか、いろんな人たちがいるんですけど、グループごとにほぼ等間隔に座ってるように見えるんです。本来は何をしてもいいはずなんですよ。でも平和な秩序を乱すような行為はなくて、相手をリスペクトするために、適度な距離を置くとか、お互いに干渉しないとか、暗黙のルールに従っている。非常に面白いコモンズの場所ですよね。

モロッコ、フランス、中国、オーストラリアなどの広場で同様の観察調査を行ったけれど、公共の場に対する感覚が違ってると感じました。他の人とのネゴシエーション（交渉）はないんですよね。日本の鴨川沿いは、言葉は使ってないんだけど、ネゴシエーション感があるんです。私の領域はここまで、あなたの領域はここから、というような、言葉にはしてない暗黙のルールができている。一方、調べた日本以外の文化圏の人たちは、誰か座っていても、どんどん隙間に入っていきます。特にオーストラリアのメルボルンはそうですね。

私が育ったマリはどうかというと、在来住宅の中庭がコモンズになっていると思っています。中庭では生活のためにさまざまなネゴシエーションが行われていて、物や場所をシェアするとかしているんです。それから、大人と子どもの境界というのが存在していました。

じゃあ、大学のコモンズはどうなっているか。アメリカのハーバード大学のキャンパスでは、あちこちに椅子とテーブルが置いてあって、誰もが気軽に座れるような形をつくってます。勉強する人もいるし、話をしてる人もいる。カナダのブリティッシュコロンビア大学でも、キャンパスのいろんなところに椅子があって、花壇にはぐるっと囲むように座れるスペースがつくられています。オーストラリアのモナッシュ大学のキャンパス内のコモンズも面白かったですね。ニュージーランドのオークランド工科大学ではオープンスペースが階段状になってて、いろいろなところに座れるようになっていました。ジャマイカのザ・ウェスト・インディーズ大学やセネガルのシェイク・アンタ・ジョップ大学などのキャンパスでも学生が小グループになって会話したり、ご飯を食べたり、勉強したりするコモンズがいくつもつくられていました。

自由論を形にする

いろいろなコモンズを見てきて、じゃあ精華大のコモンズをどうつくっていくか。私はこの自由論を形にしたいという夢を持って、大学づくりをしてきました。

精華大には川が流れているんですけど、この川は国有存置で、川の形を変えたりしてはいけないことになっています。それから、精華大は集落的キャンパス構想がコンセプトになっているので、それを守る必要もあります。そういうなかで、精華大のキャンパスでどのようにオープンスペースをつくっていくか。そこで２０２２年２月にできたのが「新明窓館」です。ビジョン「２０２４　ＳＥＩＫＡ」に沿った大学づくりで、表現の大学、リベラルアーツの大学、グローバルな大学の三つが立体的に統合した大学像を体現することを目指しています。勉強の面でも行動の面でも人との関わり合いの面でも、どう空間をつくっていくかを大きなポイントとして考えたわけです。

大学のコモンズのプラットフォームをつくりたいと、当時の学長にお願いしてつくったのが、旧明窓館ＩＣ３（ＩＣ‐Ｃｕｂｅ／ＩＣキューブ）です。三つのＣ、Inter-Cultural Communication Commons（インター・カルチュラルコミュニケーションコモンズ）を理念と

2022年2月に竣工した明窓館（大学HPより）

して、三つの部屋をつくりました。ランゲージコモンズ・エクスチェンジコモンズ・ラーニングコモンズを使ったわけです。それを拡大し発展させたのが、旧明窓館に代わり建てられた「新明窓館」です。気軽な展示がお互いのコミュニケーションのきっかけとなるように、直接的な会話に限らず、間接的な刺激を与える空間の仕掛けをつくりました。キュレーションが要らない展示をしようと思ったらできるし、共有空間でイベントをしたいならそれもできます。キュレーターが入ると、ギャラリー側の要求によって、学生の表現が制限されることがあるからです。キュレーターには、アーティストの表現を担保しつつ、ギャラリー側の要求に応えるという役割がありますが、ときには表現が制限されてしまうこともあります。さらに、ホールがあって、学生と一緒に計画したライブハウスがあって、ヨガとかができるスタジオもあります。

五つのコモンズと環境、人をつなぐことを考えて計画を進めました。つなげるために大きな役割を持っているのが階段です。階段がコモンズをつなげる立体的な道空間になり、そのことによって、自由に行き来できるようになっています。動線が展示コミュニケーションの機能を持つのです。コンセプトの説明がうまくできず、不安や批判もありました。オープンスペースが広いので、大きさのわりに（室内空間）建築面積が少ないという批判もありました。ただ、精華大の教育ビジョンの軸である表現とリベラルアーツとグローバルの三つに、コミュニケーションを通して出合うことができる建築物になったと思います。

グローバルカフェは、人・モノ・食べ物を通して、世界のさまざまな文化を体験すると同時にグローバルなコミュニケーションができる場所です。グローバルラウンジも、プレゼンテーションができたり、寝っ転がったりできる自由な空間です。自由に発表できる空間で、さまざまな人が通りかかったときに、あれ、何しゃべってるのかな、と気軽に興味を持ってもらうこともできます。壁にはピクチャーレールがついているので、学生が作品を自由に発表できるし、シアターでも学生たちが自由自在にさまざまな表現を発表できます。語学の交流をしたいときは、ライティングセンターです。お互いの言語を教え合うランゲージ・エクスチェンジができる場所になっていて、日本語学習支援センターの機能もあります。個別相談もできるし、指導もしてもらえます。学生たちにとって大きいのはＩＣキューブの空間です。キッチンの機能があるので、例えば、日本人学生が故郷の料理を、留学生たちが自分の国の料理をつくって、みんなでコミュニケーションできたりします。

京都精華大のコモンズというのは、構成員が関わり合いながらつくっていくことを目指していますから、いろいろなところにスペースの余裕を持たせて、さまざまな人に関わってもらおうとしています。キャンパスのコモンズというのは、公共空間なんだけど、決して同調圧力を求めない、でも、自分の自由と他人の自由をどういうふうに抱き合わせていくかということです。それには決して近代の縛りもないように考えています。この自由論のなかでも、近代が我々を縛ってしまっていると学んできましたけど、この近代から再び解放されることを求めていきます。

精華大のコモンズで学生たちみんながどう関わるか、私は楽しみにしています。ギャラリーを使ったり、ホールを使ったりするときに、どうなっていくか、期待して見ています。建築という制約・制限があるものに解放感をつくるとはどういう意味なのか、見えてくるものがあると思います。ある意味、先ほど例にあげた鴨川沿いの等間隔現象を再現するのを目標にしています。鴨川沿いで、誰にも何も言われていないのに一定の距離を保って座るのと同じように、大学のコモンズのなかで、一緒になって使おうよ、あなたの自由の範囲の境界が私にとっての自由の始まる範囲だ、というところを、どうそれぞれが理解していくか。それが大きなポイントだと思っています。

人間は不自由が大好き？

自由を獲得するというのはイコール、不自由な我々の社会の隙間に自由を求めようとすることだと思います。では、この不自由な社会は誰がつくったのか。結局は私たち自身が求めている仕組みによってつくられたものなんですよね。実は我々は不自由が大好きなんですよ、多分。例えば、都市をつくるときには都市計画法で管理されるし、建物を建てようとすると建築基準法で管理される。街に出ればさまざまな法律や条例で人の行動は管理されていて、そのルールが守られているかどうか警察が目を光らせているわけです。でもそれは、我々自身が、ルールがないと人間社会は成り立たないと思い込んでいるからなんです。

不自由なのは人間自身のせいなんだと、山極先生も指摘していましたよね。差別や区別は人間社会がつくったフィクションなんだと語ってくれました。ゴリラの社会では群れ同士でコミュニケーションを取り合って、共存できてるんですね。また、京都精華大学主催の「岡本清一記念講座」では、音楽家の故・坂本龍一氏との対談の中で、グローバル経済によって生まれてしまった社会、世界の分断が止められないという話をしました。坂本さんは、グローバル資本主義のシステムが人間のさまざまな欲望を支え、社会を階層化し、分断してしまったと指摘しました。

　宗教も一つのハーモナイズというか、調和・調整的な公共性があると思っています。不特定多数の人たちが同じルール（教え）に賛同しながら、そのルールを守っていくわけです。神さまを尊重しながら、自分を正していくんですね。社会のなかで正しいとされている行動・行為をするように、自分を合わせていく、同調していくんです。一生懸命にその教えに自分を合わせていくのが自分にとっての悟りだと思う人もいれば、「この人、なんでこの宗教を信じてるの？　なんでこんな苦しい修行をするの？」と思う人もいる。

　例えば、イスラム教のラマダン（断食月）です。断食といっても夜は食べますけど、日が出ている間は食べないし、全ての欲を持ってはいけない生活を約1カ月続けます。なぜそれをわざわざやるかというと、イスラム教徒という自分の属性をもう一度確認することで、イスラム教徒の社会に同調しているんですね。しかし、社会システム全体の中で、特にフランス語圏のアフリカ諸国やフランス国内などではライシテ（laïcité）、つまり政治と宗教の分離が憲法に書かれ、人々の社会構造のあり方と宗教は別物であると強調する概念が持ち込まれています。こうしてみると、我々人間は、私たち自身でつくったルールで、自分たちを管理して、自分たちで同調し合っている、ということがいえると思います。

この現代社会に公共性を取り戻していくとは、どういうことでしょうか。私が見てきた中国の公共空間の監視や、チェコのプラハで「プラハの春」（※4）が弾圧された頃もそうでしたけど、公共の場は管理され、監視の目を気にしながら生活しなきゃいけない。そうなると公共の場は恐怖の場になってきます。そこに出ること自体が恐くなるんです。

それは中国が共産主義だからとか、そういう国家体制だけが原因ではありません。18世紀のヨーロッパでも、公共空間が恐怖となっていました。自分の社会的地位に見合った服装や行動をしなくてはならないという、不自由な社会構造がつくられていたからです。そこから、社会を平等にしていこうとなったときに、「自分らしさ」じゃなくて、「市民らしさ」を社会から強要されたのです。いわゆる同調圧力です。それが19世紀の公共空間を破壊していったんですね。そうして公共から個人の空間にみんな逃げたのだけど、再び公共空間に出るときに、それを個人空間の延長にしてしまったせいで、乱れた空間になった。じゃあ、今度は我々がみんなで共有して使う大学というキャンパスに、どうやって公共性を戻していくのか。私はそこに、自由論を語りながら、大きな関心を持っているわけです。

公共性の転換という話をしてきましたけど、公共性とは、実は時代によって変わっていって、時代によってそれを構成する要素も変わってきます。公共性とは、我々が求めている社会構造の一つだと思っています。

石井潤一郎×サコの議論

石井（京都精華大教員） 僕も新明窓館をよく使っていて、いいなと思うんですけど、一般的に建物って、自由の反対、つまり管理が大きいんだと思うんですね。場所を使うにはだいたい許可が必要になりますから。新明窓館もそうですよね。

サコ 実はそれが今、大きい議論になっています。「自由ですよ、あなたたちの空間ですよ」と私が言っておきながら、やっぱり許可が必要なのはどうなのかと。めちゃくちゃ熱い議論になってるんです。一部の学生グループが大学側に呼びかけて、議論を2回ほどしたらしいんです。私はそこへ行っていないので、詳しくは分からないんですが。

理由の一つが、ＩＣキューブを巡る話です。私が学生のクロスコミュニケーションをする場所がないと思って、そのためにＩＣキューブをつくったんです。当時大学側はそれほど興味を示してくれませんでしたが。私は留学生がお客さんっぽいなと感じていました。うちの学生なんだからお客さんではない、だから関わり合いたい人たちが関わり合う場をつくりたいと思ったんです。そこで、それまであった教室を改装して、ガラス張りの部屋をつくったんですね。机や椅子も全部学生たちと私で一緒に運んでつくりました。キッチンがなかったので、キッチンを入れたのが大きかったです。それまでは留学生たちは、卓上ガスコンロを持ち込んで、自分の国の料理をつくっていたんですね。フランス料理ならクレープとか、中華料理とか。

あるとき他の先生たちがコラボ授業で「台所プロジェクト」というのを始めたんです。ＩＣキューブに台所をつくろうというプロジェクトです。そのときは私が学長だったので、実は明窓館を新しくするから、ちょっと待ってくれと話をしました。それで、台所プロジェクトの学生たちと話し合ってキッチンをつくっていったんですけど、キッチンができたら、その予約とか管理とかはどうするか、という話が出たんです。当時、ＩＣキューブにいすわっている学生グループがいて、その学生たちだけのものになっちゃうんじゃないか、という危惧がありました。そうならないように新しい管理のシステムをつくることになったわけです。

　そこには、管理をしないと安心できないという心理があるんですよ。特に鍵です。何時に誰が鍵を開けて閉めるのか。私は学生証があればいつでも誰でも入れるようにしたかったんですけど、そういう時代ではないというのが日本の大学です。どこも立派なキャンパスだけど、キャンパスというものは大学当局が管理すると。先日、東京のある大学で講演をしたんですけど、そこでもコモンズをつくることにすごく力を入れています。ただ、そこもやはり管理はしていましたね。管理することが大学にとって重要という感じで。じゃあ、どこで若い人たちが自由に関わり合うコモンズがつくれるのかと思うわけです。

　昔イギリスの大学に行ったときに感心したのは、食堂や図書館などいろいろな施設が24時間開いていて、学生証があればすぐに入れるシステムになっていることです。それがなぜ日本の大学では実現できないのかというのが、私の疑問です。だから、精華大もそういうふうになればいいなと思うこともありますけど、今はこのような状況ですね。もうちょっと大学が管理しなくてもいいよ、となればいいと思いますけど。

石井　ということは、理想としては、ＩＣキューブはみんなに開かれていて、新明窓館は誰もが自由に使っていいと。

サコ　そうですね。例えば帝京大学の「帝京ランゲージ・コモンズ」には、クリスマスツリーが飾られて、テーブルと椅子だけでなく電子ピアノも常設されています。ただ、ネームプレートを必ず表示して、先生も常駐しなければならないんですね。「2時から3時までは○○先生」というようにシフトが組まれています。キッチンもあって、ものすごく立派な設備です。和の空間もあって、畳敷きになっていて、すごくきれいです。でも、きれいなんですけど、学生の入る余地のない感じがあるんです。コモンズというのは、つくってあげるのではなくて、みんなが一緒になってつくっていくものだと思います。それが自由の体現につながると思うし、身をもって自由の境界線を感じられるとも思います。

石井　そうですね。あんまり完成されすぎていると、ちょっとよそよそしくて、つけ入るスキがないというか。使うよりもつくる方が面白いんじゃないかなと、やっぱり思って。コモンズをつくるにあたって、自分たちでつくるのが大事なんだと思いました。ショールームみたいにきれいだと、汚しちゃダメなのかなと遠慮しちゃったり、壊されたら困るから管理が必要とかいう考えが出てくるんでしょうね。じゃあ、新明窓館は勝手に企画して展覧会をやっても大丈夫ということなんですか。

サコ　うん。あのね、ゲリラ的にできる空間があるんですよ。もちろんギャラリー自体は企画展の順番とかあるんですけど、例えば2階の入口とか、共有空間とか。壁にはピクチャーレールがあるから、キュレーターなしで展示ができるようになっています。

石井　シアターやライブハウスも学生にオープンになっているんですか。

サコ　そうだったんですけど、一部の学生が卒業企画として、外部のバンドを呼んで入場料を取りたいってなったんです。そのときどう対応すればいいのか。想定外だったんですけど、出てきたものに合わせて、対応できればいいと思ってます。ただ、大学だから、利益を出すためにやるんじゃなくて、学生が企画運営するための学びの場になればいいと思います。利益は例えばウクライナの人たちに寄付するとか、そういう方法を模索できればいいじゃないかと。外部の人たちと一緒になって何かつくり上げていくのはいいと思います。展覧会も外部の人を呼んで展示したいというのであれば、それもいいんじゃないかな。

※1　**吉田亮人さんの講義**　ミャンマーでは、少数民族のカレン族が迫害され、タイとの国境にある難民キャンプで暮らしている。カレン族が難民キャンプに来て30〜40年が経ち、子どもも大人も、みんな難民キャンプで生まれ育ち、ユニセフなどが教育支援をしても、大人になっても難民キャンプから出られない状況が続いている。

インドでは法律でカースト制度はなくなったが、カーストの枠外に位置づけられた「ダリト」の人たちは不浄の存在として、人として認められていない状況が今も続いている。インドでは死、殺生、生理、出産を穢《けが》れとして捉えていて、ダリトの人たちは皮革業、屠畜《とちく》業、清掃業、糞尿汚物処理業に就くことを余儀なくされている。他の階級の人との身体的接触や食物のやり取りなども禁止され、完全に隔《へだ》てられた階級になっている。

バングラデシュのハザーリバーグは、世界一の皮革の産業地帯で、日本・中国・台湾・ヨーロッパなどのメーカーの発注がたくさん集まってくるが、労働者は劣悪な労働環境を余儀なくされている。動物の皮を人間の皮膚にも作用する有毒な薬品を使ってなめすが、裸足と素手で作業をしている。動物の皮の臭《にお》いと、薬品の臭い、人の汗とヘドロが入り混じって、街自体が強烈な悪臭に覆われている。

※２　**胸部露出の解禁**　１９８６年にロチェスターの公園で上半身を露出した女性らが逮捕されたが、６年後の１９９２年には、男性の上半身露出が許されているなか、女性が同様の行為で逮捕されるのは性差別にあたるとして、女性側に有利な判決が出て、ニューヨーク州では女性の上半身露出は合法となった。この後、女性上半身露出を求める運動は全米で加熱し、２００７年には上半身露出の性平等を訴える女性権利団体「ゴー・トップレス」が、「ゴー・トップレス・デー」を８月26日に最も近い日曜日に設定して、毎年抗議イベントを行っている。アメリカの歴史上、男性のトップレスが違法とされていた時代もあり、それが解禁されたのは１９３７年で、彼女たちは、女性も同じように解禁すべきで、胸は本来、性的なものではなく、子どもを育てるものなのに、性的なものとなってしまったことが問題だと主張している。

※３　**パジャマでの外出**　パジャマで外出する人が増えていることについて、世界的に議論になっている。イギリスのダーリントンの小学校では、校長が保護者に向けて、パジャマ姿で子どもの送迎をしないようにとお願いする文書を出した、とＢＢＣが２０１６年に報道している。学芸会や保護者会でさえパジャマで来る保護者がいることに校長は苦言を呈したという。一方で、アメリカやイギリスでは「パジャマ・デー」というパジャマを着て小学校へ登校するイベントが行われているところもある。アメリカのタックスリターン（確定申告）翌日の４月16日は、National Wear Your Pajamas To Work Day となっていて、パジャマ出社できる会社もある。上海でもパジャマで外出する人が多く、２０１０年に行われた上海万博では、上海市政府が国際都市としてのマナーを向上しようと、パジャ

マでの外出を禁止して物議をかもした。

※4　プラハの春　1968年に起きた自由化運動。当時の社会主義体制に対して自由化を進めるアレクサンデル・ドゥプチェク政権が樹立し、国家が出版物を取り締まる検閲制度の廃止をして、言論の自由を保障した。基本的人権の尊重や経済の自由化を掲げていたが、ソビエト連邦軍主導のワルシャワ条約機構軍（ブルガリア、ハンガリー、東ドイツ、ポーランド）により鎮圧された。

おわりに

ウスビ・サコ

さまざまな先生に複数の視点から、自由、人間性、人間の生き方というものについて、意見や見方を多岐にわたって提示してもらいました。

この授業の狙いは、大学生になってそれまで自分について深く考えてこなかった人に、自分は何者なのか、何を目指そうとしているのか、誰の指示もなく自分で考えて生きていく立場になった大学1年生たちに、いろいろな引き出しとなるものを提供することです。それは押しつけるものではなくて、さまざまな捉え方があるよね、という提示です。

各回を見ていくと、それぞれの領域でしんどい思いをしてきた人、虐げられてきた人がいることが明らかになっています。そしてそれを乗り越えるために、さまざまな理論が展開されています。それらが落ち着くところは、多様な人たちがどのように社会のなかに入っていくか、あるいは、どのように社会を構成していくか、自分の立ち位置によって、それをどういうふうに考えたらいいのか、というところです。

最初に言ったように、社会そのものの構造が不自由なんです。この不自由さのなかで、自分の道を開拓していかなくちゃいけない。そのなかで自分の役割があるかもしれない。自分の生き方を考える上でのヒントになる授業なのかなと、私は思っています。

私自身も、毎年新しい発見があって、勉強になる授業です。面白いところもたくさんあると思います。

ゲストの先生たちの回は全部面白かったですが、なかでも衝撃的というか、「ぶつけてきたな」と思ったのが、第５章の稲賀先生です。彼は、表現の自由が持っている矛盾について指摘してきました。自由は共同体のものだという考えがあります。自由というのは一人のものではない、一人だけ自由というのは成り立たないから、共同体のものだ、という考えです。自分の自由を語っているときには、他の人の自由も意識しなくちゃいけないわけです。だから表現の自由とか言っているけど、結局最後は社会が批判してくるから、社会に合わせなきゃいけなくなる、そういう矛盾です。さらに、表現そのものが持つ危うさを稲賀先生がぶつけてきたのも、衝撃的でした。

また第7章で山極先生が示したのは、社会の構造そのものでした。我々は近代社会の構造に巻き込まれていて、いつのまにか自ら不自由な状況をつくっているんだ、ということを言っているわけですよね。一歩引いて人間社会を俯瞰的に見て、人間が自分たちで自分たちを複雑にして、不自由な社会をつくってるんじゃん、と言っている気がします。私たちは言葉やルールをつくりましたが、それ自体は便利なツールであるけれども、我々を不自由にしてしまうものでもあるんですよね。言葉は優しさも持っているでしょうけど、暴力性も持っているんです。言葉によって我々は泣いたり笑ったりします。そのように言葉で人をうれしくさせることも悲しくさせることもあるわけです。そういうことを考えると、言葉が持っている力は絶大です。人間社会は言葉によって社会をつくろうとしているけど、そこにある暴力性も大きいと思います。

それから、私が最近よく使う言葉が「響き合い」つまり「レゾナンス」です。第4章で安田先生が分かりやすく説明してくれました。ある意味、これからの社会のあり方を捉えた言葉で、それを理解するのは重要だと思います。

レゾナンスは私がコモンズといっているのと同じで、ダイアローグ、つまり、話し合いながら、共生社会、共創を生むことだと思っています。それまでは共感という言葉を使っていましたけど、響き合うって強いな、いいワードだなと思いました。

我々は響き合うために、人と協調性を持ってやっていかなければならないということですよね。それがなければ、ハーモニーができない、共創ができないのではないかと思います。現代社会は響き合いがなくなってきているのをみんなが感じていて、だから、必要性を抱くようになってきたんだと思います。自分は社会のなかで単独で存在できていると思いがちだけど、実は社会との響き合いのなかにあって、響き合いがなければ存在しえないんです。

近年の殺人事件や殺人未遂事件を見ると、以前よりも簡単に事件を起こす人が増えたような気がしています。自分のなかの何かを抑えていて、それが爆発するかのように、事件を起こしてしまう。人に迷惑をかけることで自分が目立ちたいとか、意味がわからないです。きっと、響き合いというものを経験しないまま孤独感を感じて、社会のなかで自分を生かすこともできないし、誰とも関わりがないというふうに考えているんだと思います。その人が社会に放っておかれている可能性もあるのかもしれない。誰かと関わり合って響き合うなかで自分というものが醸成されていくわけですから、そういうものがなかったとしたら、孤独感を感じて単独で行動してしまった可能性があるのかもしれません。もちろん、だからといって社会が全部悪くて犯人が悪くない、ということではありません。ただ、日本社会が、そもそもの構造やあり方を、もう一度どこかで立ち止まって考えるべきときが来ているのではないかと思うんです。かつての日本社会では響き合いがあったはずなんです。人間同士だったり、動物とだったり、自然とだったり。それが分断されていて、その分断の過程が我々の問題なんです。

コロナによっても、社会が分断されたと思っています。

感染症法で2類から5類に移行し、マスクの機能的な働きはそれに伴い不要になりましたが、マスクが日本の文化として定着する気がしています。だからマスクの社会的機能はまだ終わってないんですね。マスクの後ろに自分を隠すことが習慣になってしまったんです。

ただ、それもある意味の自由だったかもしれません。マスクの後ろの自分は誰にも批判されない、半分隠れて顔が美しいかどうかも判断されない、化粧も適当でいい、3年間みんながそうやって過ごしてきたんです。日本ではもともと自分を出すより隠したい人が多いと思うので、コロナ禍のマスクによってそれが実現できたわけです。一方で、それによって自分と向き合うこともできた。一人になる時間も長いし、自分を見る時間も長い。それによって個人というもののあり方とか、個人と社会の関係性が新しい方向に踏み出していった。そうしたところに、コロナをそんなに気にしなくてもいい、マスクをしなくてもいい、と言われたわけです。

　多くの人は、人との付き合いができることを待ってましたよね。コロナで人の大切さとか、自分自身のあり方とかに気づいたわけです。でも、この3年間は言い訳ができてやらないで済んだことを、今度はやらなきゃいけなくなった。例えば、会議をするとなると、コロナだったからお茶はわざわざ淹《い》れないでペットボトルでもよかったし、会議の後の会食もなかったけど、今はその言い訳ができなくなる。今までコロナを言い訳にして、マスクをして顔も見せなくても、ある種の礼儀を通さなくても、会社の飲み会に行かなくてもよかった。そうやって一部の社会性がコロナによって切断されて、許されていたわけです。それに慣れてしまったから、コロナが終わるとなると、困る人が多くなるんじゃないかと思うんですよね。コロナというものに救われた部分もあったわけです。コロナで休めたり、コロナで逃げられたりしたのに、そういう余地がなくなったんですよね。コロナの新しい捉え方、ネオコロナ時代の生き方を、それぞれ個人が考えていかなきゃいけない。これは新しい課題だと思います。コロナで我々が得た教訓を生かして、いいことも悪いことも、個々人の社会性にどう生かしていくかが大事だと思っています。

ロシア・ウクライナ危機も長期化しています。かつての紛争のような敵か味方かという単純な構造ではなくなって、世界はグローバル化して、欧米による市場経済主義が幅を利かせるなかで、関係性が複雑になっています。ただ、いかなる理由があっても戦争をしてはいけないのです。この戦争によって、私たちは社会が壊れていく姿を見せつけられたんですね。１９４５年以降につくられてきた世界の平和の論理、勝者による平和モデルはユートピアだったのか、本当に平和はあるのか、と思わざるをえません。最初はロシアによる侵攻は悪い夢かと思ったのに、誰も止められなくなっている。それは核兵器のせいでもあります。北朝鮮が日本上空や周辺にミサイルをバンバン飛ばしてくるのと同じで、核を早く持った方が自分の話を聞いてくれるんじゃないかという錯覚に陥ってしまっています。世界には再び強者の論理が構築されています。

今まで人間同士の話し合い、響き合いによってつくられてきた平和が、脅かされているわけです。改めて平和って何なんだろうなと感じます。第二次世界大戦以降、平和と人権が大切だと信じてきたこと、それは社会にそう信じ込まされてきたことであるかもしれないわけで、もう一度原点に立ち戻って考えるべきです。個人が世の中を生きていくうえで、どこまで自由が与えられるのか、どこまで自由が獲得できるのか、疑問視されています。ウクライナの一般国民は何も悪くないのに、戦争で生きる自由が奪われています。同じようにロシアの一般国民も何も悪くないのに、悪者にされ、同様に生きる自由が奪われています。政治とか経済とか武器とか、我々がこの社会を管理するためにつくった全てのシステムや構造が世界を分断させ、息苦しい場所をつくってしまっています。

ただ、これまでは何らかの集団に属さないと生きていけない時代でしたけど、現代の新しい世界では、集団に属さない自由が獲得されつつありますよね。選択肢が広がったんですよね。国境や地域を気にせず、誰でも自由に住む場所を決められます。定住しないでキャンピングカーで移動しながら暮らす人もいます。それまでは私たちの社会のベースは宗教や文化的なところにありました。例えば地域のお祭りに参加するとか、そういう地縁的なところです。しかし、集団に属していると、いいこともあるけど悪いところも出てくる。それでより自由を求めて、自由が大きくなる社会構造になってきています。

そうやっていろんなところで個人の自由の幅が広くなると、同時に個人がより不安になってきます。自分の軸、アイデンティティがゆらいでくるんですね。例えば、これまでは神社のお祭りとか成人式とか、集団における通過儀礼があって大人になったと分かったけど、個人になったときに、いつ自分が大人になったか分からない。そういう不安が出てくるんです。一人になったときに、何をやっていいのかどうか分からない。自由は不安をもたらすんです。集団的自由から個人的自由にフェーズが変わってきたときに、自由が怖くなる、不安になる。そうすると、ある意味、自由は暴力性を持ってくるんです。それを取り違えると、人を殴っても自分の自由だと思う人も出てくるかもしれない。

かつては集団社会の響き合いがあって、そのなかに個人が存在して、みんなで獲得したものはみんなで共有するという形で、個人の自由も確保されていたわけですけど、それが集団に属さない個人になったときに、崩れてきている状況にあると思います。じゃあどうすればいいのか。全くルールがない社会は許されないと思うし、以前は個がいろんな要素に束縛されていたけれど、個のあり方を社会で捉え直さなきゃいけないと思います。

さらに大きいのは、「場」の意味が変わってきたことです。場がフィジカルなものからバーチャルになるなど、フレキシブルに変わってきていますよね。コミュニティができる要件は、場と人と行動、といつも学生たちに教えてるんですけど、場がフィジカルなものではなくなってきた。そのときに、社会構造の要素を何で見ていくかというと、アクティビティが重要になってくるんです。アクティビティが先にあって、それに関わる人たちが集まるには、どこからでもええやん、どんな形でもええやん、ってなるんです。つまり、リアルで一つの場に集まらなくても、世界中からネットで参加できるわけです。そのアクティビティとは、社会課題を解決するものであったりとか、ソーシャルデザインであったりとか。何かしらソーシャルなものに関わることによって、自分の存在を示していく社会になってくるんじゃないかと思います。

例えば会社です。今までは場としての本社があるのが大事だったけど、会社が行うそれぞれのアクティビティが重要になってきて、本社が絶対に必要なものではなくなった。会社のアクティビティに関わることによって、自分の帰属性だったり、役割だったりを確認するわけです。

家族もそうです。同じ場所に集まらなくても、連絡を取り合っていれば、そこには家族というアクティビティが存在するんですよね。

そうやって場からアクティビティへとパラダイムシフトが起きつつあります。アクティビティが社会の中心になって、アクティビティがあるから集まる、それが終わったら解散して、また新しいアクティビティをつくっていく。そんなふうになっていくと思います。

だから、地縁的なファーストプレイス（家）、セカンドプレイス（職場や学校）だけでなく、サードプレイス、フォースプレイスという第三、四の居場所をつくるのが大事といわれてきたけど、それが機能しなくなって、もしかしたら、違うプレイスができてきてるんじゃないかと思います。それがアクティビティで、人々が集まる目的が重要になってきます。

そして、そのアクティビティに参加するかどうかの判断は、個人に委ねられています。その判断をするには個人の意識が高くないといけない。個人が自分と向き合うためのツールが大事になってきます。そこに自由論が必要になってくるわけです。

これまでは家族から干渉されるのが嫌で、恋人から束縛されるのも嫌で、会社に縛られるのも嫌だったけれど、それが全部自由になり、誰も自分のことを気にしなくなって、一人ぼっちになったときに、じゃあ、自分はどのアクティビティを選んでレゾナンス（社会との響き合い）を感じるのか。その選択の難しさに直面しているわけです。

一人で歩いてくださいと言われたときに、自分の周りに誰がいるか、それを自分に取り入れるかどうか、その周りとどう関係をつくるか、それを決めるには観察が重要です。目で見て、脳で判断するときに、脳にいかに知識がため込まれているかが重要になってきます。その知識の一つとして、この自由論を活用してもらえればいいと思っています。

ウスビ・サコ（Oussouby SACKO）

京都精華大学教授。1966年マリ共和国・首都バマコ生まれ。北京語言大学、南京の東南大学等を経て、京都大学大学院工学研究科博士課程修了。博士（工学）。2018年4月～'22年3月京都精華大学学長。アフリカ系として初めて、日本の大学の学長になった。社会と建築空間の関係性について様々な角度から調査研究。著書に『サコ学長、日本を語る』（朝日新聞出版）、『君たちのための自由論』（内田樹との共著、中公新書ラクレ）など。

不自由《ふじゆう》な社会《しゃかい》で自由《じゆう》に生《い》きる 「自由論《じゆうろん》」講義録《こうぎろく》

2023年8月30日初版1刷発行

著　者 ── ウスビ・サコ
発行者 ── 三宅貴久
装　幀 ── アラン・チャン
印刷所 ── 堀内印刷
製本所 ── ナショナル製本
発行所 ── 株式会社光文社
東京都文京区音羽1-16-6（〒112-8011）
https://www.kobunsha.com/
電　話 ── 編集部03（5395）8289　書籍販売部03（5395）8116
業務部03（5395）8125
メール ── sinsyo@kobunsha.com

　ISBN 978-4-334-10015-5

光文社新書

1267

ＣｈａｔＧＰＴの全貌

何がすごくて、何が危険なのか？

岡嶋裕史

ＣｈａｔＧＰＴと上手に付き合う方法を学び、その能力を最大限引き出すには？ 基礎知識からクリエイティビティ、今後の進化、人類の未来への影響までわかりやすく解説。

978-4-334-10013-1

1268

アートとフェミニズムは誰のもの？

村上由鶴

「みんなのもの」になろうとするエネルギーを持っているアートとフェミニズム。両者に対する理解の断絶が進んでいる現在の状況に風穴を開けるには？ 美学研究者による新しい試み。

978-4-334-10014-8

1269

不自由な社会で自由に生きる

「自由論」講義録

ウスビ・サコ編

社会は自由なように見えて、昔も今も違う形で不自由だ。宗教、表現、芸術、性、公共、そして私自身——。私たちを縛るものを知り、自由をつかみとるための8つのレッスン。

978-4-334-10015-5

1270

まんが

押川先生、「抗がん剤は危ない」って本当ですか？

押川勝太郎
おちゃずけ

怖いのは、闘う相手の正体を知らないから——治療の不安、医師との関係、お金、患者会、食事、周囲の人の心得など様々な疑問に、ＹｏｕＴｕｂｅで活躍の腫瘍内科医がまんがで答えます。

978-4-334-10016-2

1271

結婚しても一人

自分の人生を生ききる

下重暁子

しょせん、夫婦は他人——。大事なことは「求めない」「期待しない」etc. 夫婦がストレスなく暮らしていくためのヒントとは。50年続いた結婚生活と87年の人生を振り返りながら綴る。

978-4-334-10017-9